Pour le sourire d'un enfant

DARLENE GRAHAM

Pour le sourire d'un enfant

éditionsHarlequin

Si vous achetez ce livre privé de tout ou partie de sa couverture, nous vous signalons qu'il est en vente irrégulière. Il est considéré comme « invendu » et l'éditeur comme l'auteur n'ont reçu aucun paiement pour ce livre « détérioré ».

Cet ouvrage a été publié en langue anglaise
sous le titre :
TO SAVE THIS CHILD

Traduction française de
CATHERINE DUTEIL

HARLEQUIN®

est une marque déposée du Groupe Harlequin

Photos de couverture
Enfant : © DIGITAL VISION / GETTY IMAGES
Paysage : © BRIAN SYTNIK / MASTERFILE

Toute représentation ou reproduction, par quelque procédé que ce soit, constituerait une contrefaçon sanctionnée par les articles 425 et suivants du Code pénal.
© 2004, Darlene Gardenhire. © 2006, Traduction française : Harlequin S.A.
83-85, boulevard Vincent-Auriol, 75013 PARIS — Tél. : 01 42 16 63 63
Service Lectrices — Tél. : 01 45 82 47 47
ISBN 2-280-17998-9

Prologue

Quelque part au-dessus des régions montagneuses du Chiapas, Mexique

Kendal Collins murmura une brève prière d'action de grâces. Ils étaient enfin en sécurité. Enfin. *En sécurité.*

En dépit des montagnes escarpées qui défilaient, menaçantes, sous le ventre de leur petit avion, Jason Bridges semblait contrôler la situation, et ses mains étaient détendues sur le manche du Cessna *Conquest* tandis qu'il exécutait les manœuvres de vol avec sa précision habituelle.

Frissonnante, Kendal exhala un long soupir, respirant normalement pour la première fois depuis des jours. Pendant les heures sombres de leur captivité, Jason avait juré de la protéger, mais elle ne l'avait pas vraiment cru avant qu'ils ne survolent la sierra, laissant le Chiapas loin derrière eux.

— Accroche-toi, mon cœur, dit Jason, lâchant un instant le manche à balai pour lui presser la main.

Elle lui sourit bravement et se retourna vers les

deux personnes qui occupaient le siège derrière elle. Miguel Varajas, deux ans, dormait comme le bébé qu'il était, ses beaux cheveux noirs répandus sur l'épaule de Ruth Nichols, infirmière en chirurgie, bras droit de Jason. Ruth porta un doigt à ses lèvres et Kendal hocha la tête en silence. Terrorisé, Miguel n'avait pas arrêté de pleurer jusqu'à ce qu'ils décollent.

— Miguel ! lui avait dit Jason pour détourner son attention. Regarde les montagnes !

Au son de la voix grave de Jason, l'enfant s'était tu et, se penchant dans son siège, il avait collé son petit nez au hublot.

— Mon-ta ! avait-il répété. Mon-ta ! A-ion !

Il avait répété les mots inconnus encore et encore, jusqu'à ce que, bercé par le ronronnement du moteur de l'appareil, il s'endorme, vaincu par l'épuisement.

Kendal contempla le visage innocent de son fils adoptif, si angélique dans le sommeil. Elle n'arrivait toujours pas à croire que cet adorable enfant serait bientôt vraiment à elle. L'épreuve avait été terrible pour tous, mais maintenant, ils étaient en sécurité. *En sécurité.*

Elle avait hâte de reprendre le siège de Ruth pour retrouver son bébé, mais Jason lui avait demandé de lui servir de copilote. Ils n'avaient pas encore quitté le territoire de Varajas.

— Monte devant au cas où j'aurais besoin d'un navigateur, lui avait-il dit en l'aidant à grimper dans l'avion.

Toutefois, elle savait pouvoir faire confiance à Ruth pour s'occuper de Miguel. L'infirmière avait toujours été douée avec les enfants, et elle savait apaiser leurs angoisses. Miguel était en de bonnes mains. Kendal essaya de se détendre et sourit tendrement en contemplant le petit garçon endormi.

Ruth lui rendit son sourire et ferma les yeux, exténuée par les terrifiants événements qu'ils venaient de vivre.

Kendal jeta un coup d'œil à son futur mari absorbé par le pilotage, son corps musclé tendu par la concentration.

— Regarde, mon cœur, dit-il.

Elle jeta un regard par le hublot au moment où apparaissait le Canyon del Sumidero. Le paysage qui se déroulait sous leurs pieds avait de quoi couper le souffle, mais Kendal était lasse du Chiapas et de son étrange et dangereuse beauté. Et elle n'aspirait plus qu'à jouir du spectacle des plaines de l'Oklahoma… et de Jason.

Elle étudia son beau profil une seconde avant de baisser les yeux vers ses mains agrippées au manche. Elle avait remarqué ses doigts dès le premier jour, à son cabinet. Si son apparence pouvait parfois être négligée, les mains de Jason étaient toujours impeccablement soignées, comme celles de tout bon chirurgien.

Elle avait un faible pour ces mains. Même leur façon d'écrire la fascinait. Elle adorait regarder Jason griffonner des instructions ou apposer sa signature sur une fiche à coup de grands traits nets.

Mais c'est la vue de ces mains en train d'opérer qui avait fait naître en elle une admiration indéfectible. Jason Bridges accomplissait des miracles tous les jours. Elle l'avait vu les réaliser dans les pires conditions ici, au Chiapas.

Le regard de la jeune femme glissa du manche à balai aux jambes athlétiques, tannées par le soleil, que découvrait le short kaki tout fripé. Son corps était tout en muscles, vigoureux, fins et souples. Une splendide statue de granit d'un mètre quatre-vingt-cinq, tel était Jason.

Les yeux de Kendal remontèrent vers ses cheveux courts, noirs comme la nuit, à l'exception des fils d'argent qui striaient ses tempes, contrastant harmonieusement avec son profil net, ses lèvres bien dessinées, sa mâchoire carrée. Brunie par le soleil mexicain, sa peau semblait dorée sous les rayons obliques du soleil qui pénétraient dans le cockpit. Elle soupira de nouveau, heureuse de l'admirer, tout simplement.

Il lui lança un coup d'œil et sourit.

— A quoi penses-tu ?

— A mon amour pour toi.

— Je t'aime aussi… Miguel va mieux ?

Hochant la tête, elle lui fit signe de ne pas faire de bruit. Il jeta un regard à ses passagers endormis puis il posa une main possessive sur la cuisse de Kendal. Elle lui enveloppa le poignet de ses doigts. Son pouls était fort, régulier.

— Bon sang, je suis content que nous soyons enfin sortis de là, murmura-t-il.

— Moi aussi.

Mais la peur avait vite fait de resurgir…

« Le danger est passé », se rappela-t-elle en ravalant ses larmes, et ses doigts se resserrèrent autour du poignet de Jason.

Il lui captura la main.

— Je t'en prie, ne pleure pas, mon amour, chuchota-t-il en se penchant pour lui parler à l'oreille. Tout ira bien maintenant.

— Je sais.

Elle ferma les yeux et enfouit la tête au creux de son épaule solide et rassurante.

— Rappelle-toi seulement que je t'aime, murmura-t-il. Et que je suis impatient de me retrouver seul avec toi pour te prouver à quel point…

Elle ouvrit les yeux et lui sourit. Le soleil se réverbérait sur la carlingue du Cessna, se reflétant dans les lunettes d'aviateur de Jason. Derrière les verres fumés, les yeux de son amant étaient aussi bleus que l'océan Pacifique qui s'étendait au-delà de l'horizon sans fin, loin derrière eux. Elle savait comment étaient ces yeux quand ils débordaient de tendresse, quand ils brûlaient de désir.

— J'ai hâte d'y être, répondit-elle.

Blottie contre lui, elle respira son odeur virile, grisante. Au même instant, son regard rencontra les jauges de carburant.

— Jason ! s'écria-t-elle, désignant les cadrans.

— Quoi ? s'enquit-il, alarmé.

— Chut ! protesta Ruth derrière eux.

— Le carburant ! murmura Kendal.

Les jauges indiquaient que la réserve de carburant était presque à sec, et que le réservoir fuyait !

Jason scruta les indicateurs tandis que Kendal priait

pour que ses yeux lui aient joué un mauvais tour. Mais quand Jason tira sur le bouton rouge pour endiguer l'écoulement et tapota frénétiquement la commande du réservoir de secours, elle comprit qu'elle ne s'était pas trompée.

— Qu'est-ce qui ne va pas ? demanda Ruth, inquiète, en se penchant vers eux, la tête de l'enfant contre sa poitrine.

A cet instant, les voyants lumineux se mirent à clignoter et la sirène d'alarme se déclencha.

— Nous n'avons presque plus de carburant, répondit Kendal, haussant la voix pour couvrir le hurlement strident.

— Comment est-ce possible ? Nous venons de décoller !

— Je tuerai Varajas de mes propres mains, marmonna Jason entre ses dents serrées.

— Comment a-t-il pu nous faire ça ! s'écria Kendal, horrifiée que cet homme pût être mauvais au point de planifier la mort de son propre petit-fils.

— Comment a-t-il pu faire *quoi* ? demanda Ruth avec affolement.

— Varajas a dû charger un de ses sbires de saboter le réservoir avant le décollage, expliqua Jason.

Il fit piquer du nez à l'appareil et le stabilisa à une altitude plus basse avant d'effectuer un virage au-dessus d'une étroite vallée pour économiser le carburant.

— Il savait que nous survolerions la ligne de partage continentale quand le réservoir fuirait, reprit-il, le visage crispé par l'angoisse. Gardez votre calme.

Notre seul recours est de retourner à l'aéroport en décrivant des cercles.

Il avait les mains crispées sur le manche pendant que l'alarme continuait à lancer son glas annonciateur de mort.

Sur le siège arrière, Miguel gémit, réveillé par le bruit. Tournant la tête, Kendal vit que ses yeux frangés de longs cils noirs étaient écarquillés par la peur.

— Tout va bien, chéri, dit-elle en dialecte chiapas. *Mamà està aqui.*

Mais l'enfant se mit à pleurer et à se débattre, tendant ses petits bras vers elle. S'efforçant de le rassurer, elle caressa doucement son épaule menue pendant que Ruth lui murmurait des paroles apaisantes à l'oreille.

En quelques minutes, les montagnes cédèrent la place à une large vallée, puis le patchwork de champs et de forêts révéla des petits groupes de cabanes à toits de chaume et enfin, la grande métropole de Tuxtla Gutiérrez apparut au loin. A la vue de la piste d'atterrissage rudimentaire de l'aéroport, les passagers du Cessna retinrent leur souffle.

Ils allaient peut-être arriver à se poser.

Les doigts vigoureux de Jason saisirent la manette de commande d'atterrissage à l'approche de l'aéroport, mais soudain, il se pencha en avant. Avec un juron, il tira brutalement le manche vers lui. Le nez de l'appareil se redressa en une ascension qui défiait la gravité, plaquant les passagers sur leurs sièges. Au même instant, Kendal entendit le crépitement caractéristique de tirs sous l'appareil. Comme elle regardait en bas, une balle traversa le fuselage et elle vit des hommes sortir d'un hangar en courant et mitrailler l'avion.

Jason avait repris de l'altitude et continuait à monter à une vitesse vertigineuse. Kendal en eut la chair de poule.

— Qu'est-ce que tu fais ? hurla-t-elle.

— J'essaie de nous sauver la vie !

— Le carburant ! protesta-t-elle, consciente que ces manœuvres désespérées absorbaient le peu de fuel qui leur restait.

Mais Jason grimpait toujours plus haut afin de se mettre à l'abri des tirs de mitrailleuse.

Si les moteurs étaient solides, le Cessna n'avait rien d'un avion de chasse, et il décrocha quand les dernières gouttes de carburant s'échappèrent du réservoir dans un nuage de vapeur. Piquant du nez, l'appareil plongea alors en chute libre dans le hurlement des alarmes, le tableau de bord clignotant comme un arbre de Noël. Au prix d'un effort surhumain, Jason parvint à le stabiliser.

Tout étourdie, Kendal chercha les tireurs des yeux, et les vit courir vers un avion qu'elle n'avait pas remarqué jusqu'ici. Ils décolleraient dans quelques minutes, et leur appareil semblait plus gros, plus puissant que le leur.

— Nous ne pourrons pas les distancer ! cria Jason tandis que les moteurs du Cessna toussaient, crachaient, avant de se taire définitivement. Mettez vos gilets de sauvetage et attachez Miguel sur un siège séparé. Nous allons devoir nous poser sur le fleuve.

Le Rio Grivalja apparut. Creusé dans le Canyon del Sumidero, il s'élargissait là où son cours était endigué par des barrages. Vu du ciel, il ressemblait à un gros ruban bleu marine serpentant au pied de hautes falaises. Mais c'était le seul endroit où un avion pouvait atterrir, entre la jungle touffue et les montagnes escarpées.

— Oh, mon Dieu..., murmura Kendal, se sentant devenir blême.

Les mains tremblantes, elle sortit les gilets de sauvetage de derrière les sièges et aida Ruth à attacher Miguel en pleurs, puis elle regagna rapidement sa place.

Jason décrocha le micro du tableau de bord.

— *Mayday ! Mayday !* hurla-t-il dans le micro. Nous allons devoir faire un atterrissage forcé dans les gorges du *Rio Grivalja*. Le Cessna *Conquest* appelle...

Il s'interrompit comme l'avion en perdition s'inclinait et donnait de la bande, et il dut se battre de toutes ses forces avec le manche. Dans l'affolement général, Kendal essaya de glisser un gilet de sauvetage derrière lui, mais il la repoussa. Le visage crispé, il regardait les murs escarpés du canyon se rapprocher à toute vitesse.

« Nous allons mourir », pensa-t-elle.

Comment en étaient-ils arrivés là ?

Elle tendit le bras derrière elle pour agripper la petite jambe de son bébé qui hurlait. De l'autre main, elle pressa l'épaule dure de Jason et s'appuya contre lui.

Elle ne les avait pas assez touchés, pas assez caressés. Ils ne pouvaient pas mourir maintenant.

Elle songea à l'étonnante façon dont tout avait commencé et pensa : « Mon Dieu, je vous en prie, ça ne peut pas finir comme ça. Pas après tout ce que nous avons traversé. Ne nous abandonnez pas maintenant, Seigneur. Pas maintenant. Alors que nous savons enfin ce que c'est qu'aimer… »

1.

Trois mois plus tôt, dans les bureaux du Dr Jason Bridges, au dixième étage d'une clinique d'Oklahoma City 7 h 06 du matin

— Je vois que vous avez encore passé la nuit debout, commenta calmement Kathy Martinez, comme si son patron avait l'habitude des nuits blanches, ce qui était le cas.

— Allons, Mère Martinez, ne faites pas cette tête sinistre. Je me sens très bien.

— Peut-être, *docteur,* mais vous n'en avez pas l'air.

Tapotant sa coiffe, Kathy étudia le jeune médecin pour lequel elle travaillait — pour un généreux salaire — depuis maintenant trois ans. Jason Bridges était certes un très bel homme, mais sa tenue négligée laissait à désirer, et quelques conseils n'étaient pas superflus en la matière. Il avait plus l'apparence d'un sauvage que d'un chirurgien surdoué avec ses cheveux hirsutes, sa barbe d'une nuit, son jean délavé, ses pieds nus dans ses mocassins et sa veste de cuir ouverte sur son T-shirt froissé.

— Si vous voulez mon avis, vous ne ressemblez pas du tout à un médecin.

— Je ne vous le demande pas, répondit-il en ramassant le porte-bloc où était inscrit le planning du jour.

Son T-shirt fané moulait étroitement son torse sculpté par la musculation, mais le Dr Bridges ne passait pas du temps dans les salles de sport pour avoir un physique avantageux. S'il entretenait son corps, c'était pour pouvoir l'utiliser comme une machine. Ou plutôt en abuser. Tout ce qu'il faisait visait à une seule chose : pratiquer la chirurgie. Réaliser d'innombrables opérations. Car le Dr Bridges travaillait comme un possédé, comme si ses mains étaient les seules à pouvoir réparer les dommages, remédier aux défauts, soigner la douleur que le destin réservait à ses patients.

Dans une certaine mesure, c'était vrai. Parce que le Dr Bridges utilisait souvent, et avec succès, des techniques opératoires risquées que les autres chirurgiens n'osaient même pas tenter. Comme se plaisait à le répéter Kathy, son patron avait un don. Il avait surtout des mains en or.

Mais tout le monde n'était pas aussi admiratif. Des rumeurs étaient parvenues aux oreilles de Kathy. Des infirmières avec qui il avait eu une aventure avaient surnommé le Dr Bridges *Le Loup*, un sobriquet qui lui allait plutôt bien, d'ailleurs, car ses yeux bleu glacier semblaient toujours sur le qui-vive, vous fixant avec une sorte de circonspection, de vigilance, qui évoquait un prédateur. Il semblait consumé par quelque faim insatiable qu'il dissimulait en étant volontiers ironique et moqueur. Mais lorsqu'il se mettait en colère, ce qui était rare et uniquement en réaction à l'incompétence d'un imbécile, Jason Bridges pouvait être vraiment effrayant.

Kathy Martinez ramena les pans de sa blouse blanche immaculée sur sa généreuse poitrine. Avec un médecin rebelle comme celui-là, il était parfois utile de remettre les pendules à l'heure, et elle s'y employait !

— Non, monsieur. Vous n'avez pas du tout l'air d'un médecin, reprit-elle avec un reniflement indigné. Je dirais plutôt que vous ressemblez au diable en personne !

Il leva la tête et ses yeux injectés de sang étincelèrent malicieusement avant de se plisser. Prenant une expression démoniaque, il haussa ses noirs sourcils, les narines palpitantes.

— Vous m'avez percé à jour, Mère Martinez..., gronda-t-il en frottant sa mâchoire bleuie par la barbe. Je suis le diable... Ah ! Ah ! Ah !

Puis il pinça la taille épaisse de sa secrétaire pour ponctuer son rire diabolique.

Kathy lui tapa sur la main, refusant d'entrer dans le jeu.

— Arrêtez ! Vous savez très bien ce que je veux dire.

Le regard de ses yeux noirs le transperça par-dessus les lunettes en demi-lune.

— Vous ne dormez pas assez, et vous avez l'air d'une vraie loque en arrivant ici. C'est une honte.

Jason fit la moue.

— Me pardonnerez-vous si je vous dis que j'ai eu une urgence ?

— Qu'est-ce que c'était, cette fois ?

Il haussa les épaules.

— Une adolescente qui a tenté de sortir de sa voiture par le pare-brise. Disons que son visage est considérablement plus joli maintenant qu'il ne l'était à 2 heures du matin.

Kathy hocha la tête, puis retourna à la charge. Interventions nocturnes ou pas, les autres médecins trouvaient le temps de se raser, eux.

— Allez-vous vous laver avant votre tournée ?

Le Dr Bridges eut un long bâillement léonin.

— Elle est terminée, chère amie. Et j'ai le regret de vous informer qu'il ne reste plus de petits pains au lait au neuvième étage.

Kathy planta les poings sur ses hanches plantureuses.

— Je n'ai jamais dit que je voulais de ces trucs sucrés et gras !

Avec un soupir, elle passa derrière son bureau et entreprit de classer la pile de dossiers sortis par le personnel la veille au soir. La veille, justement, elle avait commencé un régime strict. Le dernier en date d'une longue liste de régimes stricts destinés à lui rendre en trente jours, voire moins, la silhouette qu'elle avait avant de prendre trois kilos à chacune de ses cinq grossesses. Ou peut-être cinq kilos…

— Ah ? Vous avez trouvé un nouveau régime infaillible ? s'enquit-il avec un sourire démoniaque.

— Absolument, répondit-elle en carrant les épaules.

— Je vous l'ai déjà dit, Mère Martinez. Si vous cessiez de réprimer votre appétit, votre corps finirait par trouver la forme qui lui convient, dit-il en sortant un stylo de sa poche pour jouer avec le mécanisme.

Pour un chirurgien qui passait ses jours à réparer des visages, Jason Bridges était plutôt décontracté quand il s'agissait des corps. Il se comportait toujours comme si Kathy n'était pas grosse. Alors qu'elle souffrait carrément d'obésité. Du reste, elle soupçonnait son poids d'être à l'origine de ses ennuis. Mais elle discuterait de ses problèmes médicaux plus tard. Les patients d'abord.

— J'aimerais que ce soit aussi simple, dit-elle en finissant de mettre les dossiers en ordre. Comment voulez-vous que je fasse entre les infirmières et leurs petits pains et les représentants en produits pharmaceutiques qui débarquent chaque semaine avec des paniers de douceurs ? Tout le monde célèbre toujours quelque chose ici. Tenez, demain, c'est la Saint-Valentin, et on a déjà reçu des cookies !

Découragée, elle désigna le bout du comptoir où trônait une gigantesque corbeille rouge remplie de stylos publicitaires, de carnets, et de biscuits en forme de cœur.

— Seigneur ! commenta le Dr Bridges. Qui a envoyé ça ?

— La représentante de Merrill Jackson.

Jason Bridges s'approcha du panier et prit la carte qui en dépassait. Il la lut, renifla le carton, haussa les sourcils avec intérêt, puis la glissa dans la poche de sa veste en cuir.

Kathy leva les yeux au ciel. Elle était prête à parier son dernier petit pain au lait que cette jeune femme, comme toutes les célibataires de la clinique, attendait davantage du séduisant médecin qu'une commande pharmaceutique. Des biscuits en forme de cœur… Berk.

— Ces jeunes VRP sont après vous comme les mouches sur le miel. Une autre devait vous apporter le petit déjeuner demain, mais elle a annulé.

— De toute façon, j'ai une reconstruction péri-orbitale à la première heure demain, suivie d'une résection bilatérale des parotides, répliqua le Dr Bridges en reportant son attention sur son stylo. Mais vous autres infirmières pouvez vous faire plaisir de temps en temps sans être obsédées par votre poids.

— Facile à dire. Vous n'êtes pas une grosse femme noire.

— Vous non plus, Mère Martinez. Vous êtes l'infirmière la plus compétente et la plus gentille avec laquelle j'aie eu le plaisir de travailler. Et vous êtes magnifique…

Kathy leva les yeux au ciel. Voilà pourquoi aucune femme ne pouvait lui résister !

— Vous pouvez arrêter votre baratin avec moi, marmonna-t-elle.

— Vous savez parfaitement que vous êtes très bien.

— J'aimerais pouvoir en dire autant de vous, docteur. Vous avez besoin d'une bonne douche.

Il se gratta le menton et consulta sa montre.

— Il faudrait qu'elle soit rapide. Je dois être au bloc à 7 heures et demie.

Il n'avait probablement pas fermé l'œil depuis qu'il avait quitté son lit, sauté dans sa ridicule petite voiture de sport, et foncé à la clinique au milieu de la nuit. Après l'intervention, il avait dû regagner son bureau pour s'occuper de la paperasserie sans se soucier de son aspect hirsute. Mais Kathy avait une idée précise de la façon dont devaient se comporter les chirurgiens, et il n'était pas question de les laisser adopter un look d'homme des cavernes !

Il la dévisagea, les yeux plissés.

— Ou je reconstruis les visages, ou je chouchoute ma petite personne. Choisissez, dit-il avec un sourire engageant. Bon, vous me laissez voir ces dossiers avant que je parte au bloc ?

Kathy les lui tendit.

— Il y en a un paquet.

— Tant mieux. Ça nous permettra peut-être de payer les factures d'électricité.

Elle le regarda s'éloigner, déjà absorbé par les cas de la journée.

Payer les factures d'électricité... Travaillant comme un forcené, Jason Bridges gagnait des fortunes. Mais l'argent n'était pas sa motivation.

Kathy faisait partie des rares personnes qui connaissaient la vérité à son sujet. Avant même qu'il s'installe ici, la sœur de Kathy qui vivait au Texas lui avait tout dit sur le nouveau médecin et sa triste histoire à Dallas. On en avait parlé à la télévision et cela avait fait la une des journaux à l'époque.

— Oh, Mère Martinez, reprit le médecin en se retournant, un sourire dévastateur aux lèvres. Pouvez-vous m'apporter un café, s'il vous plaît ?

Puis il lui envoya un baiser.

Le *Mère Martinez* n'ennuyait pas Kathy. Après tout, elle était mère, et il donnait des surnoms à tout le monde. Mais au-delà des taquineries, Jason Bridges témoignait à son personnel un respect et une confiance qu'elle n'avait rencontrés chez aucun autre médecin. Et même si Kathy était assez âgée pour être sa mère, cela ne l'empêchait pas, comme tout ce qui portait jupon dans l'entourage du Dr Bridges, d'apprécier à sa juste valeur sa stupéfiante beauté. Et elle trouvait fort dommage qu'un si séduisant représentant de la gent masculine demeure aussi obstinément seul.

Ce qu'il fallait à cet homme, c'était une bonne épouse. Mais Kathy soupçonnait l'espèce de fièvre qui le poussait à l'action d'être aussi à l'origine de sa solitude.

Pénétrant en salle de repos, elle remplit un gobelet de café préparé à son arrivée, à 7 heures. Elle y mit un sucre tout en saluant d'autres membres du personnel. Puis elle consulta sa montre. 7 h 14. Ils commençaient sur les chapeaux de roues ce matin. Normal. La semaine qui précédait le départ du Dr Bridges pour le Mexique était toujours surchargée.

— Le Dr Bridges est là ? s'enquit Ruth, l'infirmière du beau chirurgien, en pénétrant dans la pièce.

— Il est dans sa tanière, attendant son café pour replonger dans la mêlée, dit Kathy en levant le gobelet. Il n'a pas dormi de la nuit et n'a pas pris un instant de repos.

Elle revint vers le bureau du médecin. Elle détestait lui annoncer la mauvaise nouvelle avant une opération difficile, mais le plus tôt serait le mieux.

Poussant la porte du bureau, elle le trouva en train de glisser ses bras dans les manches d'une blouse blanche soigneusement amidonnée avec son nom brodé dessus. Elle concéda qu'il faisait un effort. Toutefois, le tissu immaculé accentuant son hâle, il paraissait encore plus barbare.

— Alors, ai-je l'air d'un vrai médecin comme ça ?

— Non. Cette histoire d'accident de voiture va-t-elle avoir une incidence sur votre voyage au Mexique ? demanda-t-elle en lui tendant le gobelet.

Il but une gorgée de café avant de répondre.

— J'espère que non. Je pense que Mike peut me remplacer. Mon principal souci est le maxillaire de la gamine. Les deux côtés ont été touchés et elle était très enflée, au point que je n'ai pas pu dire à quoi elle ressemble en temps normal. Il se peut que je doive la réopérer. Je déciderai quand j'aurai vu ses photos d'*avant*. La mère me les apporte ce matin.

Hochant la tête, Kathy se dirigea vers la fenêtre où le soleil matinal jouait à cache-cache derrière la tour voisine. Aveuglée par sa clarté, elle cligna des yeux. Leur travail avait des aspects déchirants, mais ils s'offraient rarement le luxe de s'appesantir sur la douleur de leurs patients. Bridges entraînait son équipe dans son sillage avec sa détermination, son style décontracté, ses plaisanteries continuelles. Un équilibre délicat. Car, plus sa renommée s'étendait, plus les cas qu'il attirait étaient difficiles. Ses compétences continuaient à se développer, et son personnel s'efforçait de suivre. Il décidait ce qui devait être fait, et ils obéissaient. Ils auraient gravi des montagnes pour leurs patients et ils ne s'épargnaient rien dans leur lutte contre leurs ennemis : le défigurement, la difformité, la souffrance.

Quand il était venu s'installer à Oklahoma City, trois ans plus tôt, Jason Bridges s'était entouré d'une équipe expérimentée de haut niveau. Il les payait bien et attendait d'eux qu'ils donnent le meilleur d'eux-mêmes, comme lui. Chaque jour, ils se jetaient dans la bagarre, guerriers opiniâtres d'une bataille qui ne finissait jamais.

Mais nul ne se plaignait des horaires ni de l'épuisant travail. Ils n'avaient jamais appartenu à une équipe aussi passionnée, aussi dévouée. Le Dr Bridges était vraiment un faiseur de miracles, un guide formidable. Il avait déjà soigné des patients de quatre Etats, et ils étaient fiers de le seconder.

Et puis, il y avait cette mission annuelle au Mexique. L'ultime récompense : trois semaines à travailler dans le lointain Etat de Chiapas.

Ils avaient commencé avec Médecins sans frontières, puis Jason avait quitté l'organisation et se rendait maintenant là-bas en pilotant son propre avion, circonvenant les services des douanes.

Le Mexique était devenu leur grande cause de l'année. Chaque printemps, Jason Bridges fermait ses bureaux trois semaines et s'envolait vers le sud pour poursuivre son œuvre humanitaire. Et il était accueilli à bras ouverts par les indigènes de ces contrées isolées entre jungle et montagne.

Les consultations données dans des conditions épouvantables — poussière, chaleur moite, mouches et moustiques — leur semblaient interminables, mais au bout des trois semaines, personne ne voulait plus repartir. Ils étaient devenus accro à l'expérience, comme le médecin.

S'il y avait des rotations des membres de l'équipe, Bridges emmenait chaque année avec lui son infirmière en chirurgie, Ruth Nichols, et Kathy, cette dernière étant la seule à parler couramment l'espagnol qu'elle avait appris de son mari, un Hispanique du Texas.

Bon sang ! Elle en était malade de manquer l'excursion mexicaine cette année. Et elle détestait devoir annoncer la mauvaise nouvelle au Dr Bridges.

Assis à son bureau, il dégustait son café tout en parcourant les dossiers avec une concentration apparemment intacte en dépit du manque de sommeil.

— Docteur, il faut que je vous dise quelque chose.

Il leva les yeux et fronça les sourcils.

— Hé, vous allez bien ?

— Pas vraiment…, soupira-t-elle.

— Que se passe-t-il, Martinez ? s'enquit-il avec inquiétude.

Il se leva pour s'asseoir sur un coin du bureau et

la considéra avec sympathie, les bras croisés sur sa poitrine.

Elle se laissa choir dans un fauteuil.

— J'ai peur que vous ne deviez trouver une autre interprète pour le voyage au Mexique.

— Vraiment ? Pourquoi ? s'enquit-il avec une gravité inhabituelle.

— Je dois me faire opérer. Le Dr Marshall a dit que le plus tôt serait le mieux. J'ai des ennuis de vésicule biliaire…

Elle se sentit rougir. Elle était grosse, quinquagénaire, et avait des flatulences. Voilà où résidait le problème.

— Il pratiquera une laparoscopie, bien sûr. Ce n'est pas grave, mais je préfère m'en débarrasser pendant que les bureaux seront fermés. Je regrette sincèrement de vous laisser sans interprète, surtout dans un délai aussi court.

— Ne vous tracassez pas, dit-il avec une gentillesse qui culpabilisa encore plus Kathy, allant même jusqu'à lui tapoter l'épaule pour la réconforter. Votre santé passe en priorité. Je trouverai un autre interprète. Pas de problème.

Oh si, c'était un problème, Kathy le savait. Jason Bridges comprenait l'espagnol, mais les intonations mayas du dialecte parlé dans la région du Chiapas étaient difficiles. Surtout quand le patient était un paysan effrayé, ou quand Jason commençait à jeter des ordres rapides et furieux aux assistants indigènes. Il aurait du mal à trouver un interprète possédant à la fois les compétences médicales et la compassion nécessaire, capable en outre d'endurer l'inconfort du campement et les rigueurs quotidiennes de la mission. Oui, cela allait poser un problème. Un énorme problème. Mais les problèmes n'arrêtaient pas Jason Bridges.

Il ne voulait pas la culpabiliser, mais Kathy savait qu'il se demandait où dénicher la perle rare qui laisserait tout tomber pour s'envoler avec lui pour le Mexique séance tenante, ou presque.

— Je suis sûr que je trouverai quelqu'un, répéta-t-il.

— Je suppose qu'il n'y a aucune chance pour que vous différiez ce voyage ? Je serai remise d'ici deux mois.

Contournant son bureau, Jason se planta devant une grande carte topographique du Mexique punaisée au mur et se demanda quelles nouvelles atrocités Benicio Varajas avait encore infligées aux indigènes des villages Tzeltal autour de San Cristobal.

— Ici, dit-il en tapotant la région sud, là où le Mexique se rétrécissait vers l'Amérique centrale, nous avons ce bon vieux José et sa famille. Et leur petite fille Chiquita.

Kathy leva les yeux au ciel.

— Chiquita est un bébé adorable, même si elle porte le nom d'une banane, reprit-il, pince sans rire. Vive et en bonne santé. Mis à part, bien sûr, ce bec de lièvre qui la défigure.

Kathy fronça les sourcils en songeant à tous les enfants qu'il avait soignés ces trois dernières années. A ceux qui avaient été mutilés par ce monstre de Varajas.

Aux parents blessés dans des combats armés. Jason devait avoir parfois l'impression d'être un chirurgien rafistolant une armée d'estropiés sur un champ de bataille. Et il menait cette guerre chaque année. Car ses ennemis n'étaient pas seulement la maladie et la pauvreté, mais la cruauté inhumaine d'un petit chef impitoyable.

— A l'heure où je vous parle, José et Rosita ont déjà entrepris le pénible voyage avec leur âne de location, enchaîna-t-il, désignant la route en lacet qui menait vers le nord. Dans l'espoir que je pourrai réaliser un miracle pour leur bébé. Alors, annuler, Kathy ? Je ne crois pas, non.

— Le moins que je puisse faire est de vous aider à me trouver un remplaçant. Mais vous devez savoir que je n'ai appris la nouvelle que vendredi, ajouta-t-elle, désolée.

— Je peux peut-être trouver un interprète sur place.

Les grands hôtels touristiques face à l'océan turquoise à Cancún grouillaient de jeunes Mexicains bilingues qui ne demandaient qu'à arrondir leurs fins de mois. Mais franchir la frontière sans une escorte parlant espagnol pouvait être risqué, surtout quand on passait en fraude du matériel médical, des médicaments et des instruments chirurgicaux à la barbe des douaniers mexicains.

— Même si vous arrivez à convaincre un jeune Mexicain de traverser la péninsule pour venir jusqu'au Chiapas, s'il n'a aucun bagage médical…

Elle laissa sa phrase en suspens. Un tel interprète

ne pourraït pas expliquer correctement les étranges et effrayantes procédures aux patients, c'était évident.

— Je suis vraiment désolée.

— Vous n'y pouvez rien, dit Jason en s'approchant pour lui tapoter l'épaule. Et maintenant, au boulot ! conclut-il avec un clin d'œil malicieux.

— Attention, je finirai par vous traîner en justice pour harcèlement, riposta Katy en se dirigeant vers la porte.

Elle s'immobilisa, la main sur la poignée.

— Je déteste vous laisser dans cette panade…

— Oubliez votre culpabilité avec un cookie, Martinez.

— Un instant. Je connais quelqu'un qui parle couramment espagnol et pourrait même comprendre les dialectes chiapas. Comment s'appelle cette représentante en médicaments déjà ? Celle qui a apporté les cookies.

— Kendal Collins ?

Il avait repéré la jeune femme à la clinique et elle avait éveillé son intérêt.

— Oui ! s'écria Kathy en revenant vers lui. Puis-je voir sa carte de visite ?

Il alla au portemanteau et fouilla dans la poche de sa veste de cuir.

— Kendal Collins parle espagnol ?

— Oui, répondit Kathy en prenant la carte. Je peux la garder jusqu'à demain ? Je n'aurai probablement pas le temps de l'appeler avant ce soir.

— Vous allez demander à cette petite VRP d'aller au Mexique ?

— Non. Elle attend de vous voir depuis des lustres. Je vais lui proposer d'organiser un brunch, et il faudra au moins que vous fassiez une apparition. Si nous lui rendons ce service, elle nous renverra peut-être l'ascenseur.

Il acquiesça. Les représentants faisaient la queue pour le rencontrer, mais il n'avait jamais le temps de voir personne.

— Ça vaut la peine d'essayer. Et maintenant filez, Martinez.

Kathy referma la porte en souriant.

Jason s'adossa à son fauteuil, soucieux. Il se demandait depuis quand la vésicule de Kathy la faisait souffrir. Elle n'avait jamais manqué un seul jour de travail. Il se sentait parfois coupable de tant demander à son personnel.

Mais il n'exigeait d'eux rien qu'il n'exigeât de lui-même. Il ne semblait trouver la paix qu'en soignant les balafrés, les blessés de la vie.

Il ferma les yeux, assailli par les souvenirs. A l'époque, il était trop jeune, trop inexpérimenté pour sauver Amy. Le chagrin s'était atténué avec le temps, mais la tragédie le hantait toujours. Chaque visage amoché était celui d'Amy. Il coupait, recousait, et raccommodait comme pour réparer le passé. Mais ce qui était arrivé à Amy ne pouvait pas être défait. Il avait beau se tuer au travail, cela ne suffirait jamais.

Il posa la main sur la pile de dossiers devant lui. Il pouvait quand même sauver ceux-là. Et ceux du Mexique. Un cas à la fois. Une vie après l'autre.

2.

Le soir de son trente et unième anniversaire, Kendal Collins se plongea jusqu'au cou dans sa baignoire géante avec un soupir à fendre l'âme. Après avoir ressassé des idées noires pendant une bonne minute, elle sortit une main dolente de l'eau savonneuse et prit un des cookies en forme de cœur soigneusement alignés sur le rebord. Après avoir ôté l'enveloppe de cellophane, elle grignota pensivement la friandise défendue. Le second biscuit disparut un peu plus vite. Quant au troisième, il fut emporté par une longue gorgée de l'excellent merlot qu'elle avait acheté en rentrant chez elle.

Les cookies étaient interdits. Le vin aussi, du reste. Kendal devait constamment lutter contre un léger problème de poids que son amie Sarah persistait à qualifier d'*épanouissement*.

Mais aujourd'hui, c'était son anniversaire. Et la Saint-Valentin. Sa main se tendit vers un autre cookie. Elle méritait bien une petite fête. Mais en vidant son verre, elle savait qu'elle ne célébrait rien du tout.

Elle se mit à pleurer.

Les larmes commencèrent à couler lentement sur

ses joues, puis elle éclata en sanglots convulsifs. Le visage baigné de larmes, elle s'enfonça dans l'eau parfumée, ses lèvres frôlant la surface.

« Encore un centimètre et je pourrais me noyer », songea-t-elle.

Elle leva les yeux au ciel à cette pensée ridicule. Mais au cours de l'année qui venait de s'écouler, pas une fois elle ne s'était laissée aller à s'apitoyer sur son sort. Eh bien, ce soir, elle s'offrirait le luxe d'une bonne crise de nerfs, voilà.

Elle s'était efforcée d'être courageuse pour faire croire à tout le monde qu'elle allait bien, se montrant forte tout au long de cette année solitaire, après que Phillip l'ait *larguée*. Le terme était laid, brutal, mais éloquent, et Kendal n'avait pas l'habitude de mâcher ses mots. Elle était grosse. Sans enfants. Et Phillip l'avait larguée.

— Rien ne va plus entre nous, lui avait-il dit le soir du cinquième anniversaire de leur liaison, qui se trouvait être le jour des trente ans de Kendal et de la Saint-Valentin, date horrible entre toutes, avec le recul. Je regrette. C'est un fait.

Ses grands yeux bruns avaient paru peinés, comme si cette rupture le dépassait et qu'il était impuissant à y remédier.

Kendal avait bredouillé les questions qui venaient naturellement aux lèvres des laissés-pour-compte, jetés comme des Kleenex. *Que veux-tu dire ? Que tout est fini ? Comme ça ? Tu vas déménager ?*

Bien sûr qu'il allait déménager. D'ailleurs il était déjà en train de faire ses bagages là, sous ses yeux. Et il consultait une de ses éternelles listes tout en s'affairant. Apparemment, il avait longuement soupesé la question. Mais Phillip ne faisait jamais rien sans avoir mûrement réfléchi. C'est pourquoi elle ne s'attendait pas à le voir prendre une décision aussi brutale.

Elle avait voulu hurler. *Tu ne peux pas t'en aller comme ça ! C'est l'anniversaire de notre rencontre ! Et la Saint-Valentin ! Et mon trentième anniversaire !*

Mais elle s'était contrainte à garder son calme en le suivant comme un toutou autour de la chambre.

Elle avait objecté qu'ils avaient quand même construit quelque chose ensemble. Ils avaient même acheté cette maison…

— Il faudra que je récupère ma part, avait-il répondu platement en rangeant ses sous-vêtements dans sa valise avec un soin maniaque.

Frappée de plein fouet par la réalité, elle avait perdu son sang-froid.

— Tu sais très bien que je ne pourrai jamais trouver autant d'argent !

Phillip la quittait. Et à cet instant, elle avait pris conscience d'autre chose : leur mode de vie était devenu trop dispendieux pour elle seule.

— Et il m'est impossible de payer la maison toute seule !

Ils commençaient tous deux une carrière prometteuse, et Kendal avait été assez stupide pour croire que leur liaison finirait par un mariage. Mais pas question de prononcer le mot fatidique alors que Phillip était en train de faire sa valise, tel un criminel en cavale.

Il avait rangé soigneusement ses dernières chaussettes dans la poche latérale et tiré la fermeture Eclair.

— C'est toi qui as choisi cette demeure, pas moi. Il faut se rendre à l'évidence, nous n'avons pas grand-chose en commun.

— Et comment es-tu soudain arrivé à cette conclusion ? En dressant une de tes fichues listes ?

Représentant en produits pharmaceutiques d'une maniaquerie frôlant la névrose, Phillip fondait sa vie sur les listes. Des listes élaborées, approfondies, sur trois colonnes. C'était une des choses que Kendal avait trouvées si réconfortantes chez lui. Avec Phillip, rien n'était jamais laissé au hasard. Une fois, alors que leur couple était en crise et qu'il hésitait à convoler, il lui avait présenté une liste de pour et de contre, lui suggérant d'en faire une de son côté.

— Eh bien oui, avait-il répondu. Juste avant de prendre ma décision définitive.

— Ta décision définitive ?

— Regardons les choses en face, notre relation est un échec. Rien ne va plus entre nous.

Pourquoi n'arrêtait-il pas de dire ça ?

Quand, parvenu à la porte, il s'était tourné vers elle avec un dernier regard de regret et un ultime « je suis désolé », Kendal avait marmonné « je comprends », alors qu'elle ne comprenait rien du tout.

Elle avait dit cela parce qu'elle ne supportait plus la vision du regard coupable de Phillip. Mais deux semaines plus tard, elle avait bien failli lui arracher les yeux lorsqu'elle avait appris qu'il avait une nouvelle liaison — une qui *marchait*, qui cadrait avec sa liste, supposa-t-elle.

La nouvelle élue, Stephanie Robinson — que Kendal soupçonnait d'être la cause de leur rupture — était la représentante chérie de McMayer, principal concurrent de Merrill Jackson. Et Phillip s'était installé dans son luxueux appartement avec ses listes.

Kendal ne l'avait revu qu'une fois, alors qu'ils se trouvaient à Dallas pour un congrès des laboratoires Merrill Jackson. Il descendait un escalator dans l'immense galerie marchande, l'odieuse femme scotchée à son bras.

Repérant Kendal, l'affreuse sauterelle blonde avait entraîné Phillip dans la direction opposée séance tenante.

Kendal avait traversé un mauvais moment. Elle avait eu mal. Très mal.

Titubant jusqu'à une brasserie proche, elle s'était réfugiée dans un box et avait commandé une soupe à l'oignon avec supplément de fromage. En temps normal, elle se serait jetée sur le gruyère fondu, mais ce soir-là, elle avait fixé le bol sans y toucher en se demandant *pourquoi, pourquoi, pourquoi ?*

Tous ses amis et collègues avaient pris fait et cause pour elle après sa rupture avec Phillip, qualifiant celui-ci de SCFL — Sale Con Faiseur de Listes — et Stephanie Robinson de bimbo anorexique, un pléonasme pour Kendal qui trouvait toutefois l'expression amusante. Elle la testa à voix haute dans les bulles du bain moussant. « Bimbo anorexique. »

Mais le soutien de ses amis ne l'avait pas aidée.

Phillip et leur vie bien ordonnée avaient fini par lui manquer. Son absence avait laissé en elle un vide douloureux que le temps n'apaisait pas.

Les mois passant, les longues nuits solitaires s'étaient faites encore plus longues, encore plus solitaires, tandis qu'elle voyait une de ses amies convoler et une autre avoir un bébé. Et quand elle avait appris que Phillip et Stephanie s'étaient mariés à leur tour, la souffrance s'était solidifiée autour de son cœur, comme un étau. Elle croyait avoir réussi à enfermer son chagrin là où il ne pouvait plus l'atteindre, mais voilà qu'à l'occasion de son trente et unième anniversaire, elle craquait, seule dans sa baignoire de luxe...

Puis, sur les talons du chagrin, vint la peur.

Car l'avenir sans Phillip apparaissait quelque peu effrayant. A la pensée qu'elle devrait peut-être payer l'hypothèque de la maison, elle regretta d'avoir dépensé de l'argent en futilités. Elle sortit une main de l'eau parfumée pour examiner ses ongles impeccables à travers ses larmes. Elle était allée chez la manucure en prévision de la soirée que ses amies avaient prévue pour son anniversaire, tenant particulièrement à fêter « le premier anniversaire de l'émancipation de Kendal Collins ».

Sans doute l'exercice se voulait-il thérapeutique, et elle était reconnaissante à ses amies de leurs efforts, mais elle n'avait vraiment pas le cœur à sortir ce soir.

Après une dure journée sur la route avec son patron, la perspective de feindre de s'amuser dans un bar branché lui pesait. Et elle avait appelé Sarah pour annuler. Elle ne pouvait pas. Pas ce soir.

En fait, elle voulait rester chez elle pour broyer du noir.

Elle étudia ses doigts et, soudain, l'onéreuse manucure lui parut représenter tout ce qui n'allait pas dans sa vie. Des ongles parfaits, des vêtements parfaits, une voiture parfaite, une maison parfaite, toute son existence avait l'air de sortir des pages en papier glacé d'un magazine de luxe, mais, brusquement, elle lui semblait stérile, artificielle. Et elle détestait Phillip de l'avoir laissée seule avec tout cela. Seule pour payer tout cela.

Pourquoi persister à garder un mode de vie qui n'avait plus aucun sens ? Parce qu'elle ne savait pas faire autre chose ? Parce qu'elle n'avait rien d'autre ? Et si elle n'avait que ça, comment allait-elle continuer à s'offrir ce train de vie ?

La voix de son directeur des ventes lui revint à la mémoire.

— Collins ?

Ils se trouvaient dans la voiture de service de la jeune femme, en route pour une petite clinique de l'Oklahoma occidental. Ce qui aurait dû être un trajet de routine avait été sérieusement compromis par des orages. Et l'humeur de Warren était aussi capricieuse que le temps. Pour l'adoucir, elle avait glissé un cookie en cœur dans la boîte à gants. Mais il venait de l'appeler par son nom de famille.

Mauvais signe.

— J'ai étudié les chiffres des ventes pour la région

occidentale, en particulier les vôtres, avait-il repris en mordant dans le cookie. Ils ont chuté au cours de cette année, n'est-ce pas ?

— Oui, mais…

Mais quoi ? Kendal n'avait pas de réponse miracle. Elle savait que ses ventes avaient baissé. Elle le regrettait pour des tas de raisons et s'était juré d'y remédier… comme à tout le reste, d'ailleurs.

— Je fais ce qu'il faut pour que ça change.

— Je me demandais…, avait continué Warren, parlant la bouche pleine, autre signe de mauvais augure. Avez-vous progressé pour faire connaître le Paroveen au Dr Bridges ?

Le Dr Bridges. Le jeune chirurgien plein d'avenir spécialiste de la reconstruction faciale dont la clinique florissante était située au milieu du secteur couvert par Kendal, mais demeurait désespérément hors de sa portée. Elle avait tout entendu sur lui. Apparemment, c'était une sorte de mauvais garçon au charme dévastateur. *Le Loup.* C'était ainsi que l'appelaient les célibataires de la clinique Integris. Un surnom éloquent.

Mais elle savait aussi que Jason Bridges ne manquait pas une occasion de mettre sa brillante intelligence et ses précieuses mains au service des autres. Après un long internat à John Hopkins, il avait fait son apparition à Integris, et rien n'avait plus jamais été pareil dans le service de chirurgie.

Il avait fait parler de lui dès le premier jour. Et, en l'espace de quelques mois, les patients avaient commencé à affluer.

Kendal représentait le Paroveen, un médicament idéal pour un spécialiste débordé comme Bridges. Après des années de recherche, le Paroveen avait été lancé sur le marché et il promettait de réduire considérablement les œdèmes et les cicatrices post-traumatiques sans presque aucun effet secondaire. Kendal croyait sincèrement à son efficacité, mais en persuader Bridges était une autre affaire. Avec obstination, il persistait à utiliser l'équivalent fabriqué par le concurrent, le Norveen.

— Quand je vous ai vue à la soirée de Noël, avait enchaîné Warren en avalant une bouchée de biscuit, vous m'avez promis que vous approcheriez Bridges début janvier, or nous sommes déjà à la Saint-Valentin, avait-il conclu avec un sourire qui était tout sauf gentil.

Depuis Noël, Kendal s'était lancée dans une campagne personnelle pour circonvenir Bridges. En vain. Elle avait tout fait pour le rencontrer, arrivant de plus en plus tôt à la clinique pour le surprendre pendant sa tournée des lits.

Mais jusqu'ici, elle avait juste réussi à mettre le pied dans ses bureaux du dixième étage. Et uniquement parce qu'elle avait sympathisé avec l'infirmière de Bridges, Kathy. Et ce parce que, devant une boîte de beignets un matin, elles s'étaient découvert une passion commune pour le chocolat et la langue espagnole.

— Heu… En fait, je n'ai pas progressé autant que je le voudrais avec le Dr Bridges, mais j'y travaille.

De justesse, elle s'était retenue de parler de la corbeille de cookies. Des règlements récents interdisaient ce genre de cadeau, mais elle ne savait plus quoi faire. Elle n'arrivait même pas à planifier un petit déjeuner au bureau de Bridges, ce que, bien entendu, Warren n'avait pas tardé à suggérer…

— Pourquoi n'organisez-vous pas un petit déjeuner au bureau de Bridges pour présenter le Paroveen ?

Kendal s'était demandé si les autres représentants avaient Warren sur le dos, eux aussi, ou s'il n'en avait qu'après elle.

— J'ai proposé de le faire de nombreuses fois, mais on me répond invariablement que Bridges n'a pas le temps. Il a un programme chirurgical très chargé. C'est une sorte d'original qui pratique la chirurgie du lever au coucher.

— J'en suis bien conscient. C'est pourquoi il est le plus grand spécialiste en reconstruction faciale de la région, et notre client potentiel le plus important.

Tout le monde dans la profession était *bien conscient* que si un chirurgien prolifique et exigeant comme Bridges utilisait le Paroveen, ses confrères ne tarderaient pas à l'imiter.

— C'est pour ça qu'il faut l'amener au moins à tester le médicament. Il ne le prescrira jamais s'il ne l'a pas essayé.

Kendal avait cherché ses mots pour apaiser son patron.

— La situation m'a un peu échappé. Mais j'ai fait l'impossible pour rencontrer ce type. Je laisse des échantillons, je parle à son personnel administratif au moins deux fois par semaine, mais je ne l'ai même pas encore vu…

— Je ne vous apprendrai pas comment ça marche, Collins, avait répondu Warren, en articulant comme s'il s'adressait à une demeurée. Il n'y a pas si longtemps, vous étiez un de nos meilleurs éléments. Faites ce qu'il faut pour l'impressionner.

Elle avait encore droit au *Collins*. Avec l'emploi éloquent du passé, l'avertissement était clair. Kendal *avait* fait partie des meilleurs représentants de Merrill Jackson en étant à la tête des ventes au niveau national. Mais la désertion de Phillip lui avait enlevé toute son assurance. Au lieu de traquer le client avec son agressivité habituelle, c'était tout juste si elle arrivait à quitter son lit le matin. Et dans l'univers impitoyable des laboratoires pharmaceutiques, la stagnation était grave. Très grave. Et maintenant, elle se retrouvait avec un secteur géographique réduit, un mode de vie bâti sur deux confortables chèques mensuels au lieu d'un maigre salaire, et des dettes croissantes.

Son patron savait que Bridges était un gros poisson difficile à appâter. Attaché à ses habitudes. Maniaque dans ses soins aux patients. D'une loyauté sans faille. Un test pour Kendal.

— Ecoutez, si vous ne voulez plus vous occuper de Bridges, je peux toujours appeler…

— Non !

Pas question de laisser un autre représentant empiéter sur son territoire. Elle amènerait Bridges à composition ou elle mourrait !

— Ne vous inquiétez pas. Je trouverai un moyen de me glisser dans son planning et de l'emballer lui et sa clique.

— Bravo, Kendal !

Warren avait souri, et elle avait poussé un soupir soulagé en l'entendant l'appeler par son prénom.

Se redressant dans la baignoire, Kendal frappa l'eau savonneuse de sa main parfaitement manucurée.

— Phillip Dudley, je te hais ! cria-t-elle. Et je voudrais te voir mort !

L'effroyable anathème se répercutant sur le luxueux carrelage italien des murs lui fit l'effet d'une gifle. Que lui arrivait-il ? Etait-ce vraiment elle, cette femme pleine d'amertume ? S'enfonçant sous l'eau, elle aurait sans doute encore fondu en larmes si son portable posé sur le rebord de la baignoire ne s'était mis à sonner.

Elle s'en empara, agacée. C'était sûrement Sarah qui faisait une dernière tentative pour la convaincre de sortir.

— Allô !

— Kendal Collins ? s'enquit une voix vaguement familière.

— Oui.

— Bonsoir, Kendal. C'est Kathy Martinez, du bureau du Dr Bridges.

Kendal s'assit en s'efforçant de ne pas faire de bruits d'eau. L'infirmière du Dr Bridges ?

— Je vous dérange, peut-être ?

— Non... en fait, je... je me détendais. Que puis-je pour vous, Kathy ?

— Stephanie Robinson... Vous connaissez Stephanie ? demanda l'infirmière.

— De nom.

La main de Kendal se crispa sur le téléphone. Si Stephanie Robinson s'était trouvée près de cette baignoire, elle l'aurait noyée sans le moindre remords ! Mais qu'est-ce que la secrétaire de Bridges pouvait bien avoir à lui dire à son sujet ?

— Eh bien, elle a dû annuler un petit déjeuner qu'elle avait organisé pour le Dr Bridges et son équipe. Comme vous souhaitez le rencontrer, voudriez-vous la remplacer ?

Suffoquée, Kendal faillit se noyer. Si elle voulait le faire ? Demandait-on à un aveugle s'il voulait voir ?

— J'en serais ravie, bredouilla-t-elle, louchant sur son verre vide.

— Génial ! Stephanie est enceinte, et elle souffre de nausées matinales qui ne lui laissent pas de répit avant midi.

Enceinte ? Stephanie était enceinte ? Appuyant son front sur ses genoux repliés, Kendal ferma les yeux pour refouler ses larmes. *Enceinte.* De l'enfant de Phillip.

— Kendal ? Vous êtes toujours là ? s'enquit Kathy comme le silence se prolongeait.

Au prix d'un effort surhumain, Kendal se concentra sur la chance qui venait de lui échoir.

— Quand souhaitez-vous que je vienne ? demanda-t-elle.

— Demain. 7 heures.

Demain. Finie la crise d'apitoiement. Elle allait devoir se ressaisir pour préparer sa présentation.

— Très bien. A demain donc.

Elle coupa la communication et s'enfonça sous l'eau. Elle se sentait encore plus mal que tout à l'heure, si c'était possible.

Ainsi, Stephanie Robinson. Non, Stephanie *Dudley* dans le domaine non professionnel, attendait un bébé...

C'était elle, Kendal, qui aurait dû être enceinte maintenant. C'était le plan. Son plan à elle, du moins. Régler les échéances de la maison pendant encore environ un an et, dès qu'ils auraient été mariés, mettre un bébé en route. Puis s'associer, transformer la troisième chambre en nursery, et vivre heureux. Soudain, son désir d'enfant la submergea, provoquant une souffrance atroce, indicible.

Phillip lui manquait-il donc tant ou était-ce ce fantasme qui lui manquait ? L'envie d'une famille. Ils ne rajeunissaient pas, elle l'avait dit plus d'une fois à Phillip en espérant le pousser vers l'autel. Il fallait qu'ils aient un enfant dès qu'ils seraient mariés. Jamais elle n'avait imaginé que le malléable Phillip ne serait pas d'accord avec ce programme.

Toutefois, maintenant qu'elle y repensait, elle se rendait compte qu'il était plutôt silencieux pendant ces longs monologues. Cela aurait dû lui mettre la puce à l'oreille.

Elle sortit de la baignoire puis, ôtant la bonde, regarda pensivement l'eau s'évacuer.

« Adieu les larmes. Kendal Collins a fini de pleurer. »

Et, bon sang de bonsoir, le Dr Bridges lui mangerait dans la main avant la fin du mois ! Et elle gagnerait tant d'argent qu'elle pourrait payer cash cette stupide maison si elle voulait !

Elle commença à se sécher, presque avec colère, mais elle s'immobilisa en surprenant son reflet dans la grande glace murale de la salle de bains. Elle redressa les épaules, se regardant d'un air déterminé. Oui, Kendal Collins allait reprendre sa vie en main, amasser une fortune, et oublier le mariage, les bébés… et son chagrin.

Mais en continuant à se frictionner, elle prit conscience qu'elle ne leurrait personne. Comment ne plus penser au mariage et aux enfants alors que c'était tout ce qu'elle attendait vraiment de la vie ?

Et au lieu de projeter un mariage et une grossesse, voilà qu'elle se retrouvait toute seule pour son trente et unième anniversaire, forcée à se battre pour survivre dans une profession où la compétition était féroce.

Elle ferma les yeux, se demandant pour la centième fois pourquoi Phillip l'avait quittée. Certes, leur vie amoureuse n'avait pas été des plus torrides, mais elle avait cru que Phillip le voulait ainsi. Il avait toujours été réservé, à la limite de la passivité. Et elle avait craint de l'effrayer en donnant libre cours à la passion qui l'habitait.

Quelle ironie… Il était parti quand même, malgré ses efforts pour lui plaire. Avait-elle quelque chose qui clochait ? Ouvrant les yeux, elle détailla son reflet d'un œil critique. Elle était plutôt mignonne. Tout le monde le disait. Et elle avait un corps sain, bien proportionné. Un peu trop voluptueux, peut-être ? Phillip l'avait si souvent insinué qu'elle s'était efforcée de maigrir pour lui faire plaisir. Mais il l'avait quand même quittée pour la bimbo anorexique.

Elle se tourna de côté et redressa le menton. Bon, d'accord, elle avait des formes épanouies, mais elle possédait aussi une belle crinière de cheveux noirs comme l'ébène, des yeux d'un vert intense, et une peau de porcelaine. Quand elle ôta la pince qui retenait ses cheveux, ils croulèrent en lourdes mèches luisantes sur ses épaules nues. Elle ressemblait à une madone, une femme née pour aimer… et enfanter.

Phillip pouvait aller au diable. Elle se plaisait comme elle était, et même si elle ne trouvait jamais de mari et n'avait jamais d'enfants…

Elle agrippa la serviette, les yeux clos. *Jamais ?* Elle venait d'avoir trente et un ans. *Jamais* commençait à devenir une possibilité bien réelle…

— S'il vous plaît, Seigneur, murmura-t-elle à l'adresse du dieu auquel elle pensait rarement, et qu'elle priait encore moins. Je vous en prie, envoyez-moi un mari.

Et pendant qu'elle y était, elle ajouta :

— Et un enfant aussi. C'est tout ce que je désire. Une famille. Peu importe comment vous faites…

3.

Kendal sortit de l'ascenseur au dixième étage avec son Caddie en songeant que, parfois, un représentant en produits pharmaceutiques ressemblait fort à un clochard de luxe avec tout le matériel qu'il transportait dans ce stupide chariot : téléphone mobile, pager, ordinateur portable, stylos, boîtes d'échantillons, articles publicitaires, paperasserie diverse. Kendal était une femme organisée, dans son travail comme dans sa vie. Contrôler, toujours tout contrôler, tel était son leitmotiv.

Elle ouvrit la porte des bureaux du Dr Bridges en espérant que le traiteur n'avait pas encore livré les petits-fours salés, les viennoiseries et les corbeilles de fruits qu'elle avait commandés.

Personne dans la salle d'attente, c'était bon signe.

Encore une fois, elle se demanda de quel piston Stephanie Robinson avait pu bénéficier pour organiser un petit déjeuner le seul matin sur un million où le Dr Bridges n'était pas au bloc opératoire.

Une jeune réceptionniste était assise dans un

box vitré, mais Kendal ne vit pas trace de Kathy Martinez.

— Je peux vous aider ? s'enquit poliment la jeune fille.

— Je suis Kendal Collins, dit-elle avec un sourire engageant en lui tendant sa carte. J'apporte le petit déjeuner à votre bureau, de la part des laboratoires Merrill Jackson.

— Oh, bien sûr… Kathy !

Un visage familier apparut au fond du hall de réception.

— Kendal ?

— Bonjour, Kathy ! Merci de m'avoir appelée hier soir.

— Merci à vous d'être venue dans un délai aussi court.

Kathy la fixa de ses yeux noirs.

— Dites-moi, vous ne m'avez pas dit que vous parliez couramment l'espagnol ?

— *Si. Como le va ?*

— *Muy bien, gracias,* répondit Kathy en riant. *Ha estado alguna vez en Chiapas ?*

Si elle était déjà allée au Chiapas ? Kendal avait bien compris la question, mais elle ne voyait pas où Kathy voulait en venir.

— Non, mais je suis allée tout près, dans la presqu'île du Yucatan.

Dans son travail, tous les liens qu'elle tissait pouvaient générer des ventes ultérieures. Avec un peu de chance, Kathy et elle aborderaient la question du Paroveen avant midi.

— Ecoutez, j'ai quelque chose à vous dire à ce sujet, déclara Kathy en lui prenant le bras.

— Très bien, répondit Kendal, un peu perplexe. Mais j'attends la livraison du traiteur, et j'aimerais d'abord installer mes brochures et mes échantillons.

— Bien sûr. Je vais vous montrer la salle de repos.

Kendal lui emboîta le pas dans un dédale de bureaux et de salles d'examen, puis Kathy ouvrit la porte d'une pièce à la décoration minimaliste, meublée de plans de travail en Formica vert et d'une grande table ronde en simili bois.

Kendal rangea son Caddie contre un mur tapissé de rébarbatives planches d'anatomie et se mit au travail avec son efficacité habituelle.

Elle commença par aligner toutes les chaises le long du mur, pour que les gens circulent autour de son matériel au lieu de s'agglutiner autour de la table.

Puis elle ouvrit sa mallette et en retira un chevalet qu'elle déplia rapidement pour l'installer près de la table. Elle sortit ensuite un grand poster détaillant toutes les caractéristiques du Paroveen et le posa bien en vue sur le chevalet.

Enfin, elle recouvrit la vilaine table d'une nappe en papier pourpre, la couleur fétiche de Merrill Jackson, touche subliminale destinée à marquer le subconscient des clients potentiels pour qu'ils se souviennent de l'occasion, du produit… et d'elle.

Dans le même esprit, elle avait égayé sa tenue de quelques accessoires de la même couleur.

Elle portait un tailleur noir bien coupé qui l'amincissait, avec un chemisier de soie blanc. Ses éternelles boucles d'oreilles en diamant et son badge mis à part, son unique bijou était une broche en argent au logo de Merrill Jackson reçue en récompense de ses bons et loyaux services.

La jupe lui parut un peu ajustée quand elle s'accroupit pour ouvrir la pochette où elle rangeait ses brochures et ses cartes de visite.

A cet instant, la porte s'ouvrit et un très bel homme entra, vêtu d'un T-shirt blanc, d'une veste en cuir et d'un jean serré, les bras chargés de trois longues boîtes rectangulaires.

— Bonjour, dit-il.

— Bonjour, répondit distraitement Kendal, affairée par ses préparatifs. Vous voulez bien sortir les plats des cartons et les disposer sur la table ? Je suis un peu en retard…

Kendal avait un talent particulier pour économiser son temps en déléguant les tâches et sollicitant l'aide des autres.

Un jour, sa sœur Kara l'avait même traitée de *bourreau de travail despote* quand elle lui avait demandé de l'aider à remplir des enveloppes destinées à des clients.

— Ah ? Tu voudrais que je travaille moins ? avait répliqué Kendal d'un ton suave tout en s'affairant.

— Ça ne te ferait pas de mal de lever le pied, tu sais.

Un conseil avisé, s'était dit ironiquement Kendal, surtout venant d'une experte qui passait ses journées à ne rien faire, sinon à dorloter son bébé pendant que son bourreau de travail de mari amassait les millions de dollars.

— J'imagine que ce bon vieux Matt ne verrait pas d'objection à payer aussi mes factures ?

Kendal savait que ce n'était pas très gentil de sa part d'insinuer que sa cadette était une charge pour son époux.

Mais Kara s'était contentée de secouer la tête avec indulgence.

— Pour ton information, Matt et moi formons une équipe. Il aime prendre soin de sa famille, contrairement à la mauviette avec qui tu vis. La façon dont Phillip insiste pour partager chaque centime que vous dépensez, ce n'est pas de l'engagement, Kendal chérie. Ce n'est pas ça le véritable amour, ne te leurre pas.

La franchise de Kara lui avait paru dure sur le moment, mais les événements avaient montré qu'elle ne s'était pas trompée sur ce cher vieux Phillip.

Ne décelant aucun mouvement du côté de la porte, Kendal regarda par-dessus son épaule. L'homme aux boîtes se tenait toujours au même endroit, scrutant sa chute de reins.

— Aucun doute, vous n'êtes pas Stephanie Robinson, dit-il en souriant.

Kendal fronça les sourcils. Curieuse réflexion. Et comme Stephanie était ultramince et qu'elle-même ne l'était pas, le commentaire chatouilla un peu son orgueil.

Soudain, elle se moqua que l'impertinent livreur la détaille ainsi. Elle se redressa et lissa sa jupe.

— Stephanie ne viendra pas, expliqua-t-elle d'un

ton délibérément glacial. Je suis Kendal Collins, de chez Merrill Jackson. La présentation de McMayer a été annulée.

— Je sais.

— Oh…

Le matin même, elle avait appelé le traiteur dont Stephanie utilisait les services, supposant qu'il serait trop heureux de la voir reprendre la commande pour Merrill Jackson. Situé dans le vaste complexe médical d'Integris, il pratiquait des prix raisonnables et avait d'excellents produits, même si ses livreurs avaient un look un peu douteux.

— Alors, qu'attendez-vous ? s'enquit-elle en agitant la main en direction de la table. J'aimerais me dépêcher de tout préparer, le personnel doit arriver à 7 heures.

Puis, se précipitant vers le comptoir, elle disposa rapidement ses objets publicitaires près de la machine à café.

— Seulement si je le décide.

« Oh, non… »

Horrifiée, Kendal ferma les yeux tandis que la vérité s'imposait à son cerveau. On racontait que l'insaisissable Dr Bridges avait un drôle de genre et qu'il s'habillait comme un motard…

Elle se retourna et s'efforça de recouvrer son sang-froid.

— Pardon ? s'enquit-elle en souriant, feignant la confusion.

— Je suis le Dr Bridges.

Il s'approcha nonchalamment et posa ses boîtes sur le comptoir. Puis il lui tendit la main.

Elle la prit en espérant que la sienne n'était pas trop moite. Voilà des mois qu'elle essayait de rencontrer cet homme, et il était devant elle, la dominant de sa haute taille. Même ses mains étaient grandes. Et chaudes.

Elle lui serra la main tout en réfléchissant à toute allure. S'était-elle montrée grossière quand elle croyait avoir affaire à un employé un peu voyeur ?

— Je… je suis Kendal Collins, bredouilla-t-elle, le cœur battant très vite. Je ne crois pas que nous nous connaissions.

— Non, je ne pense pas. Mais j'ai entendu parler de vous.

Il n'avait pas lâché sa main, et cela alarma Kendal. Non seulement sa main était chaude, mais elle était douce. Une conséquence de son métier de chirurgien, sans doute. Et sa poigne était vigoureuse, intelligente, vivante.

Et la même énergie électrique passait dans son regard. C'était la première fois qu'elle rencontrait un homme dont le simple contact l'électrisait des pieds à la tête.

— Vraiment ?

Il avait entendu parler d'elle ? Comment ? Elle espérait que c'était en rapport avec le Paroveen.

Il hocha la tête en souriant sans fournir d'explications, se contentant de l'examiner comme un tigre évaluant un déjeuner potentiel.

Il était beaucoup plus grand qu'elle, et elle dut

renverser la tête en arrière pour rencontrer son regard.

— Eh bien… Heu…

Ses yeux bleus pétillants d'intelligence scrutaient maintenant son visage avec la même attention qu'il avait mise à détailler sa silhouette un instant plus tôt.

Il finit par lui lâcher la main sans pour autant cesser de l'étudier en souriant. Oui décidément, il avait tout du prédateur en train de guetter sa proie frissonnante, et le pire, c'était qu'il semblait parfaitement conscient de l'effet qu'il avait sur elle.

Kendal agita nerveusement sa main enfin libérée.

— J'espère que vous n'y voyez pas d'inconvénient, mais quand j'ai appris que Stephanie avait annulé son petit déjeuner, j'ai proposé de la remplacer. Pour que votre personnel ne soit pas trop déçu…

— Quelle charmante attention ! commenta-t-il d'un ton à peine sarcastique.

Tous deux savaient pourquoi elle était là. Et elle ne doutait pas que sa florissante clinique était littéralement prise d'assaut par les laboratoires en tous genres.

— Alors, que nous avez-vous apporté de bon ?

Il souleva le couvercle d'une des boîtes et elle aperçut d'appétissantes viennoiseries couvertes de film alimentaire.

— Pas mal, commenta-t-il en soulevant le film. Vous croyez qu'il y en a assez pour un toubib affamé ?

— Je crains que non, répondit-elle en lui donnant une petite tape sur la main.

Il se mit à rire et glissa les doigts sous le film protecteur d'un air malicieux.

— Je serais ravie que vous déjeuniez avec nous puisque vous êtes la vraie raison de ma présence ici, dit-elle.

— Vous vous intéressez donc à ma vieille carcasse ? demanda-t-il en mordant dans un petit pain tendre à souhait.

Elle sourit.

— Non. Seulement à votre travail. Permettez-moi de vous présenter mon dernier médicament miracle.

Elle tendit le bras vers le chevalet en un geste théâtral.

Il considéra le grand poster vantant les mérites du Paroveen tout en mangeant.

— Toujours le dernier remède miracle..., marmonna-t-il.

— Mais le mien est vraiment miraculeux. Je vous demande seulement de l'essayer, dit-elle en lui tendant une brochure.

Elle le contourna pour prendre le carton de viennoiseries.

— Je ferais mieux d'installer tout ça avant l'arrivée du personnel.

Elle laissait toujours un moment aux médecins pour lire tranquillement la documentation. Mais à sa grande déception, Bridges ne regarda même pas le fascicule.

Croisant les bras sur sa poitrine athlétique, il la dévisagea.

— Je préférerais vous entendre me parler de votre produit.

— Très bien, dit-elle, consciente de son regard qui la suivait pendant qu'elle disposait les plats sur la table. Avec plaisir.

Elle débita mécaniquement quelques statistiques scientifiques concernant le Paroveen tout en sortant de son Caddie les assiettes en carton, les fourchettes et les serviettes au logo de Merrill Jackson.

Quand elle eut achevé son boniment, il glissa la brochure dans sa poche et, se dirigeant d'un pas nonchalant vers le buffet, il entreprit d'empiler petits-fours et viennoiseries sur une assiette.

— Je crains de devoir retourner au bloc, expliqua-t-il en fourrant un grain de raisin dans sa bouche avant de mordre dans un cube de jambon avec un sourire suffisant. Nous pourrons peut-être nous rencontrer une autre fois pour discuter de votre remède miracle.

Kendal n'en était pas sûre, mais son instinct lui soufflait que ce prédateur s'intéressait à autre chose qu'à son médicament. Néanmoins, elle ne pouvait pas laisser passer une telle opportunité de promouvoir le Paroveen.

— Quand vous voudrez, répondit-elle.

— Vous êtes consciente que je n'aime pas changer de traitements ?

— Oui, mais nos études indiquent que tous les médecins qui ont essayé le Paroveen ont obtenu une réduction de quatre-vingts pour cent des œdèmes en un temps record. De plus, notre formation médicale et nos services de soutien sont remarquables, ajouta-t-elle précipitamment.

— Des échantillons ?

— Tout ce que vous voudrez.

— Vous vous chargerez *personnellement* du suivi technique ?

Il s'essuya les mains sur une serviette et lui adressa son sourire de prédateur, comme s'il avait l'intention de faire d'elle son dessert.

— Absolument. Pour vous, je serai disponible vingt-quatre heures sur vingt-quatre, sept jours sur sept.

— Jour *et* nuit ? railla-t-il. Vous êtes consciencieuse, dites donc.

Elle s'apprêtait à répliquer qu'elle était une vraie professionnelle quand la porte s'ouvrit.

— Bonjour !

Comme attirées par l'odeur de la nourriture, Kathy Martinez et deux autres infirmières se dirigèrent aussitôt vers le buffet.

— Bonjour, docteur ! lança la plus grande qui portait une tenue de chirurgie, en adressant un clin d'œil à Jason Bridges. Je ne m'attendais pas à vous trouver ici, sans patient en vue.

— Je me rends au bloc dans une minute.

— Nous avons une résection bilatérale de parotides enflammées, expliqua la plus grande à sa collègue.

— Oh, j'avais oublié..., répliqua l'autre.

Kendal avait entendu parler de cette microchirurgie complexe qui pouvait demander des heures. C'était exactement le genre de procédure où le Paroveen prouverait son efficacité.

— Nous commencerons dès que j'aurai pris un autre de ces délicieux muffins. Mmm, ils sont exquis. Mademoiselle… rappelez-moi votre nom ? s'enquit-il, sourcils froncés.

Il le faisait exprès ou quoi ? Kendal portait un grand badge pourpre avec son nom, quand même ! Elle le tapota du bout des doigts en souriant.

— Collins. Kendal Collins.

— Kendal.

— Servez-vous, dit-elle aux infirmières en désignant le buffet.

— Kendal, intervint Kathy pendant que les jeunes femmes se servaient, voici Mary Smith et Ruth Nichols. Mary travaille pour l'administration, et Ruth est l'infirmière en chirurgie du Dr Bridges.

Grignotant une fraise, Mary évoquait une petite souris anxieuse. De petite taille, elle avait une veste de chirurgie délavée imprimée d'oursons, des cheveux bruns hérissés, et des lunettes sans monture sur un petit nez rond.

Tout le contraire de la dénommée Ruth. Même dans l'informe tenue chirurgicale, son long corps mince avait la grâce d'un top model, et la vilaine coiffe en papier n'arrivait pas à altérer sa beauté. Et le bleu doux de ses yeux ne faisait que rehausser la perfection de sa peau ivoirine.

— Mes mains complémentaires, expliqua Bridges avec un clin d'œil à la séduisante jeune femme. Et mes yeux. Mes oreilles. Et parfois même mon nez.

— Appelez-moi le nez du Dr Bridges, dit Ruth,

amusée, en tapotant du doigt le bel appendice nasal de Jason Bridges.

Tout le monde pouffa, à l'exception de Kendal.

— J'espère que j'ai prévu assez à manger, remarqua-t-elle en se tournant vers la table, gênée de les voir flirter ainsi. Combien de personnes attendons-nous encore ?

— Quatre du bureau, répondit Kathy en souriant. Ces petits-fours ont l'air délicieux, au fait.

— Dommage que vous ayez commencé un nouveau régime, n'est-ce pas ? intervint Bridges, malicieux.

Pour toute réponse, Kathy lui tapa sur l'épaule et enfourna un petit-four.

Puis Kendal la vit se pencher vers le médecin pour lui murmurer quelque chose à l'oreille.

Bridges regarda alors Kendal avec un intérêt particulier. Pendant le court instant où leurs regards se soudèrent, elle comprit d'où lui venait son surnom de *Loup*.

Il contourna la table et s'approcha d'elle.

— Kathy me dit que vous parlez l'espagnol ?

— Oui.

— Couramment ?

— Oui, répondit Kendal sans voir où il voulait en venir.

— Les dialectes mexicains aussi ?

— Oui, dit-elle, embarrassée par son regard insistant.

— Vous êtes déjà allée là-bas ?

— Où ?

— Au Mexique. Et plus particulièrement au Chiapas.

Encore cette question bizarre.

— Je connais bien la presqu'île du Yucatan. Surtout Cancún.

— Etes-vous allée dans la jungle ou êtes-vous restée à vous dorer sur la plage ?

— Je suis allée visiter des ruines mayas… dans la jungle. Très loin.

Elle se demanda pourquoi elle lui expliquait tout ça. Mais elle était prisonnière de son regard, incapable de détourner les yeux, et les réponses franchissaient ses lèvres presque malgré elle.

— Je présume que vous avez certaines connaissances médicales ?

— Bien sûr. En anatomie. En physiologie. Et j'ai fait une spécialisation en chirurgie et en pharmacologie.

— Parfait ! Voulez-vous partir au Mexique avec moi ?

Derrière lui, Kendal entendit la petite infirmière glousser.

— Pas spécialement, répondit-elle, perplexe.

— Vous n'aimez pas le Mexique ?

— Je l'adore. J'ai hâte d'y retourner, mais…

— Mais pas avec un type comme moi, acheva-t-il, les yeux pétillants d'amusement.

Nouveaux gloussements de la part des infirmières.

— Pas même pour une bonne cause ?

— De quoi s'agit-il ? s'enquit-elle, se penchant

pour regarder les collègues, qui, à l'évidence, devait savoir où il voulait en venir.

Mais il se déplaça légèrement, lui bloquant la vue.

— J'ai une proposition à vous faire, Kendal.

— J'espère que c'est en rapport avec le Paroveen.

— Absolument.

Cela la surprit. Il avait une attitude si désinvolte qu'elle n'était pas préparée à le voir aborder un sujet sérieux.

— Je vous écoute.

— Durant trois semaines chaque année, je séjourne au Chiapas, au Mexique, pour travailler avec les paysans indigènes, et j'opère autant de patients que je peux. Vous avez entendu parler de Médecins sans frontières ?

Certes, Kendal connaissait cette organisation humanitaire née en France et composée de jeunes médecins idéalistes qui allaient soigner les malheureux des pays du Tiers Monde. Leurs efforts en faveur des enfants touchaient particulièrement le cœur généreux de la jeune femme.

— Oui. Ils font un travail remarquable.

— Ma mission est similaire. Voudriez-vous en faire partie ?

— *Moi ?* Comment ? Pourquoi ?

— Parce que vous parlez les dialectes mexicains. Et que je vous promets que le Paroveen fera l'objet d'essais cliniques approfondis dans ma clinique. Vous pouvez d'ores et déjà m'en apporter une valise. Merrill

Jackson sera ravi car il devrait retirer des bénéfices substantiels de notre collaboration.

Derrière lui, elle remarqua que Kathy Martinez lui souriait pour l'encourager.

— Vous avez besoin d'une interprète ?

— Exactement. Je parle un peu l'espagnol, bien sûr, et Ruth aussi, mais pas couramment. Comme les patients souffrent, ils ont peur, et ils parlent vite dans un dialecte complexe. Un bon interprète est essentiel. Alors, qu'en dites-vous ? Acceptez-vous d'y réfléchir ?

— Quand partez-vous ?

— La semaine prochaine.

— La semaine prochaine !

— Je regrette. Mon interprète en titre est malade, je ne l'ai appris qu'hier, expliqua-t-il avec un regard éloquent à Kathy.

— N'est-ce pas un peu court pour m'embarquer dans un voyage au Mexique ?

— Je présume que votre passeport est en cours de validité ?

— Eh bien, oui, mais…

— Les autres arrangements représentent peu de chose. Tous les ans, je choisis mon équipe et pilote mon propre avion. Nous emmenons un employé de la sécurité de la clinique, Ben Schulman. Ces trois jeunes dames m'ont déjà accompagné là-bas, à un moment ou à un autre.

Le trio hocha la tête en chœur pour confirmer ses dires.

— Elles vous diront combien il est gratifiant d'aider

les malheureux, d'améliorer leur vie. Ce sera l'occasion rêvée de démontrer l'efficacité de votre nouveau médicament dans un cadre où on en a grand besoin. Peut-être Merrill Jackson nous donnera-t-il aussi quelques vaccins.

Kendal se demanda comment la conversation avait pu prendre un tournant aussi radical, mais le fait était là.

— Je vois. Je… je vais devoir consulter mon planning. Et il me faudra obtenir la permission de ma société.

Ce qui ne devrait pas poser de problèmes. Son patron avait été très clair. *Faites ce que vous avez à faire*, lui avait-il dit.

— Bien entendu.

— Nous ferions mieux d'y aller, intervint la longiligne Ruth.

Mais Jason Bridges s'avança vers Kendal, la main tendue.

— Donnez-moi votre carte. Je vous appellerai pour convenir d'un rendez-vous afin de discuter de tout ça. Je dois vous apprendre deux ou trois choses sur le genre de chirurgie que nous pratiquons parce que vous allez devoir répondre aux questions des patients et de leurs familles. Je dois vous préparer, et la semaine ne sera pas de trop.

— Très bien. Je vais y réfléchir.

Mais les questions se bousculaient dans la tête de Kendal tandis qu'elle lui tendait sa carte.

« Il n'est pas sérieux ! Moi ? En mission médicale au Mexique ? Dans une semaine ? »

Il déchiffra la carte et sourit à Kendal. Et, de nouveau, elle songea à son surnom et au danger qu'il y avait à attirer l'attention d'un tel homme. Il était capable de lui faire faire presque n'importe quoi.

Ses joues s'empourprèrent à cette pensée, et elle fut soulagée de le voir se tourner vers Ruth.

Il glissa sa carte de visite dans la poche de sa veste, avec la brochure, et s'adressa à son assistante :

— Le patient est âgé. Très fragile. Nous n'avons pas le droit à l'erreur. Je veux que ce soit vous qui prépariez la salle d'opération, pas les infirmières du bloc.

— C'est déjà fait, répliqua Ruth avec un sourire de top model et l'assurance qui allait de pair.

— Très bien. Rappelez-moi de vous donner une grosse prime pour Noël.

Il lui effleura la taille d'une main légère pour la guider vers la sortie et son regard pétillant se posa une dernière fois sur Kendal.

— A bientôt, Kendal, dit-il.

4.

— Excusez-moi…, dit Kendal en tapotant l'énorme épaule du gardien qui semblait sculpté dans le marbre. Vous êtes bien Ben Schulman ?

Il se retourna et Kendal considéra le beau visage bienveillant qui allait avec ce corps de tueur.

Le badge épinglé à la massive poitrine portait le nom de Schulman, il s'agissait donc bien du gentil Ben dont parlaient toutes les infirmières, qui déploraient en général qu'un si beau spécimen d'homme ne s'intéresse pas aux femmes.

— Oui, madame.

Kendal saluait toujours le jeune gardien quand elle arrivait à la clinique tôt le matin, dans l'espoir de surprendre les chirurgiens avant qu'ils soient trop occupés. Il se montrait toujours très poli avec elle.

Chargé du service de nuit, Ben Schulman marquait de sa présence imposante l'entrée principale de la clinique.

C'était un grand blond d'un mètre quatre-vingt-quinze au corps de culturiste et au visage d'enfant de chœur. Les rumeurs circulant sur son compte le dépeignaient comme un fanatique religieux qui ne faisait pas mystère de son homosexualité.

Mais pour Kendal, c'était surtout un grand professionnel. Stoïque, courtois, gentil. Accessible à qui avait besoin de ses services. Agressif envers les vauriens. Et résolument idéaliste. Le genre d'homme fait pour « servir et protéger ».

— Je suis Kendal Collins, dit-elle en échangeant avec lui une poignée de main cordiale. J'ai cru comprendre que vous accompagniez le Dr Bridges dans ses missions au Mexique avec Médecins sans frontières ?

Il lui adressa un sourire franc.

— Nous ne sommes plus associés à Médecins sans frontières. Mais ce sera mon troisième voyage au Chiapas, en effet.

— Pourrais-je vous poser quelques questions à ce sujet quand vous aurez une minute ?

— Pourquoi ? s'enquit-il, les sourcils froncés. Vous êtes journaliste ? J'avais l'impression que vous vendiez quelque chose…

— C'est le cas, dit-elle en lui tendant sa carte. Je suis représentante chez Merrill Jackson. Mais le Dr Bridges m'a demandé de l'accompagner au Chiapas comme interprète. Et j'ai pensé que nous pourrions nous rencontrer pour que vous m'en disiez un peu plus sur ce qui m'attend.

Ben examina la carte, puis dévisagea la jeune femme. Son visage était impassible, mais elle sentit que quelque chose le tracassait.

— Travailler avec le Dr Bridges est une expérience

formidable, et je serai heureux d'en discuter avec vous, déclara-t-il cependant. Je quitte mon service dans vingt minutes.

— Retrouvons-nous au restaurant traiteur *Daylight Deli*, si vous voulez. Je vous offre le petit déjeuner.

Daylight Deli était situé au cœur du vaste complexe hospitalier composé de quatre énormes tours. Donnant sur une cour charmante, il dégageait une atmosphère calme et agréable, véritable havre de paix dans cet espace de souffrance, d'inquiétude et de dur travail.

La nourriture y étant excellente, le personnel de la clinique fréquentait assidûment l'établissement, et les blouses blanches y côtoyaient les tenues de chirurgie et les costumes trois pièces, avec les vêtements de ville des visiteurs et les peignoirs des patients occasionnels.

Il connaissait son heure de pointe à 8 heures du matin, heure où on se bousculait pour déguster une tasse de délicieux café ou de tisane parfumée, accompagnée d'un muffin ou d'un petit pain au lait juste sorti du four.

En arrivant, Kendal eut la chance de voir deux techniciens de laboratoire libérer une petite table devant la fenêtre. Elle tira son chariot dans le coin et s'assit pour attendre son invité en réfléchissant aux questions qu'elle allait lui poser.

Ben entra peu après. Derrière son comptoir, le patron leva les yeux. Avec sa boucle d'oreille et son bandana sur la tête, il avait un look pittoresque et traitait ses clients avec une familiarité sympathique.

— Ben ! s'écria-t-il.

— Salut, Nolan ! répondit Ben sur le même ton.

Puis il repéra Kendal qui lui fit signe de la main.

— Que puis-je vous offrir ? s'enquit-elle quand il s'approcha.

— Un milk-shake fraise banane, merci.

Le patron adressa un clin d'œil à Kendal quand elle se dirigea vers le comptoir en compagnie de Ben. Elle remarqua qu'il était déjà en train de préparer le milk-shake de Ben.

— Il commande toujours la même chose, expliqua-t-il. Que prendrez-vous, ma mignonne ?

Kendal mourait d'envie de prendre un petit pain tout chaud, mais, stoïque, elle commanda une salade de fruits.

— Vous vous connaissez, tous les deux ? demanda le patron en s'affairant derrière son comptoir.

Ben fit les présentations.

— Kendal Collins. Nolan Nelson. Kendal est représentante en produits pharmaceutiques.

— Vous ne m'auriez pas passé une grosse commande il y a quelques jours ?

— Si, répondit-elle. Pour le bureau du Dr Bridges. Tout était excellent.

— Kendal voudrait me poser quelques questions sur le voyage au Chiapas, dit Ben. Le Dr Bridges lui a demandé de venir.

Le front du patron se plissa sous son bandana.

— Bridges vous a demandé de l'accompagner au Mexique ? N'y allez pas, ma mignonne ! Cet homme va vous briser le cœur.

Kendal sentit ses joues s'empourprer.

— Nolan..., intervint Ben avec impatience. Le médecin lui a demandé de venir en tant qu'interprète.

Nolan parut confus.

— D'accord. C'est ce qu'il prétend...

Puis il se détourna pour préparer la salade de fruits de la jeune femme.

Comme elle fouillait dans son porte-monnaie pour le régler, il lui jeta un regard ouvertement sceptique.

— Pour sûr qu'il s'est trouvé une jolie petite interprète. Qu'est-il arrivé à Kathy ?

— Elle a un problème de santé et ne peut pas partir, répliqua Ben qui semblait au courant des moindres faits et gestes de l'entourage de Bridges.

— Rien de grave, j'espère..., commenta le patron en versant le milk-shake dans un grand verre.

— Une histoire de vésicule biliaire, répondit Ben.

Il prit son verre et Kendal sa salade de fruits puis ils regagnèrent leur table.

Ses joues la brûlaient encore à la pensée que Nolan pût croire qu'elle était la maîtresse de Bridges. Ce n'était pas son genre. Vraiment pas. En fait, elle était obstinément restée célibataire depuis que Phillip l'avait quittée. Pourtant, on l'avait invitée à sortir, mais cela ne la tentait pas. Et elle commençait à se demander si elle pourrait aimer de nouveau un jour, ou si la trahison de Phillip avait irrémédiablement desséché son cœur.

— Ne faites pas attention à Nolan, dit tranquillement

Ben comme ils s'asseyaient à leur table. Il n'aime pas le Dr Bridges. Il le prend pour un fumiste.

— Il l'est ?

— Comment le saurais-je ? Nolan est amer, voilà tout. Sa sœur, qui est infirmière en chirurgie, est sortie avec le Dr Bridges quelque temps, au point d'en être gaga. Ce n'est pas parce que ça n'a pas marché entre eux que ça fait de Jason un sale type.

Ben ne s'appesantit pas sur cette histoire, mais Kendal n'eut aucun mal à combler les blancs. La liaison entre le médecin et l'infirmière s'était probablement terminée par un cœur brisé — celui de la jeune femme —, et Le Loup était reparti vers de nouvelles conquêtes.

Mais Ben ne semblait pas être du genre à critiquer un homme que, de toute évidence, il admirait.

— Vous aimez bien le Dr Bridges, n'est-ce pas ?

— Jason est un type réglo, répondit-il sans hésiter.

Une petite croix brillait dans l'encolure de sa chemise, et Kendal se demanda ce que l'expression « type réglo » signifiait pour un homme avec les convictions de Ben. Quelqu'un qui servait l'humanité dans les pires conditions ? Quelqu'un qui courait les jupons en toute impunité sous couvert de sa réputation de Loup ?

— Que voulez-vous dire ?

— Vous le saurez vite si vous allez au Chiapas avec lui.

— Vous voulez dire que c'est un bon chirurgien ?

— Oui, mais ça va beaucoup plus loin. Il s'est mis dans de sacrés pétrins en aidant ces gens.

— Par exemple ?

— Là-bas, il y a des factions qui veulent forcer le gouvernement à s'impliquer et à amener les indigènes dans le XXIe siècle, et d'autres qui souhaitent que la région reste isolée. Jason a été pris entre elles une ou deux fois, en même temps que les malheureux qu'il essaie d'aider.

— C'est pour ça que le Dr Bridges vous emmène ? Pour des questions de sécurité ?

Le beau visage de Ben exprima la confusion.

— Je sais me servir d'une arme… et de mes poings, s'il le faut, mais en vérité, je suis surtout la bête de somme de Jason, précisa-t-il en souriant. En fait, j'aime accompagner le Dr Bridges parce qu'il me paye toutes mes dépenses et qu'il me laisse le temps de visiter les missions autour de San Cristobal de las Casas. C'est ce que je rêve de faire un jour… Du travail de missionnaire.

— C'est merveilleux ! Dites-moi comment c'est au Chiapas.

Ben lui parla de la fascinante culture des Indiens, des superstitions qui perduraient parmi les descendants des Mayas. Il évoqua la beauté des chutes d'eau, des lacs, de la forêt tropicale. Il décrivit la chaleur intense, le mal des montagnes, l'agressivité des moustiques, et l'inévitable attaque de *turista*, attribuée par les indigènes à la vengeance de Montezuma.

Il s'interrompit devant l'expression dégoûtée de Kendal.

— Désolé…

Tout en dégustant son milk-shake, il détailla les mains impeccablement manucurées de Kendal et son élégant tailleur.

— Etes-vous sûre de vouloir faire ce voyage ? N'y voyez pas offense, mais vous avez plutôt l'air d'une citadine.

— J'ai connu ma part d'aventures, répondit-elle avec aplomb, songeant à sa descente à skis d'une piste noire dans une station branchée, et à ses errements dans le métro de Washington DC. Et je suis déjà allée au Mexique.

Elle se garda de préciser qu'elle s'était surtout cantonnée dans les complexes touristiques de Cancún.

— Nous y allons uniquement pour travailler, vous savez. Il faudra vous préparer.

— J'ai déjà acheté des vêtements de voyage légers et de solides chaussures de marche.

— Il vous faudra de l'écran total, du répulsif à insectes. Vous devrez vous couper les ongles, ajouta-t-il en désignant ses mains. Et vous informer sur la chirurgie plastique.

— Le Dr Bridges me donne un coup de main. Il a commencé à me faire potasser les palais fendus, les becs-de-lièvre, les difformités dues aux brûlures, les malformations caractérisées par la soudure des doigts ou des orteils…

— La syndactylie.

— C'est ça, oui.

— Il répare même les oreilles proéminentes et les déviations du septum quand il a le temps.

— Il me l'a dit.

— Vous le voyez beaucoup ?

— Chaque jour. Chaque soir.

— Vraiment ? commenta Ben en jetant un coup d'œil à Nolan derrière son comptoir. Et comment c'est ?

— C'est… stimulant. Une vraie gageure.

Mais elle craignait que son visage ne trahisse ses véritables sentiments.

Maintenant qu'elle avait accepté d'aller au Mexique, sa vie était passée à la vitesse supérieure. En effet, elle devait suivre Jason Bridges comme un toutou durant ses tournées des lits pendant qu'il lui bourrait le crâne. Elle n'était pas sûre de pouvoir tout se rappeler. Courir derrière lui en essayant d'enregistrer la masse d'informations qu'il lui jetait en pâture la laissait le souffle court et migraineuse. Peut-être aussi parce qu'elle se donnait un mal fou pour résister à la puissante attirance physique qu'il exerçait sur elle.

Chaque soir, il l'emmenait dîner dans un restaurant chic et lui remplissait le cerveau de nouvelles informations. Et pendant tout ce temps, elle luttait contre son magnétisme irrésistible.

— Mais tout n'est pas négatif, précisa-t-elle pour Ben. Nous avons partagé des dîners très agréables.

Il fronça les sourcils.

— Il n'y aura pas de bons dîners au Mexique. Le Dr Bridges peut être un véritable tyran au travail. Sa priorité est de soigner les gens de la région. L'équipe, c'est-à-dire vous, moi et Ruth cette fois, devra suivre son rythme, faire des sacrifices et surtout, ne jamais se plaindre.

— Bah, ce n'est que pour trois semaines…, commenta Kendal avec fatalisme.

Mais en se retrouvant brinquebalée dans le petit Cessna de Jason Bridges quelques jours plus tard, Kendal se demanda si elle allait pouvoir supporter la toute première étape de l'aventure…

Ils avaient rencontré une zone de turbulences au-dessus du golfe du Mexique, deux heures à peine après le décollage. Le petit appareil était secoué de toutes parts mais, apparemment imperturbable, Jason Bridges en gardait le contrôle, actionnant le manche d'une main ferme pour stabiliser l'avion sous les nuages. Ils survolaient à présent les cimes de la Sierra Madre, si proches que Kendal en avait l'estomac retourné.

Ruth et elle étaient assises sur les petits sièges de l'arrière, coincées de tous côtés par le matériel et les fournitures entassés dans tous les recoins de l'appareil : instruments chirurgicaux de Jason, poches à perfusion, pompes à intraveineuses, sutures, médicaments, seringues, pansements, antiseptique, gants, plus les boîtes de vaccins dont leur avait fait don le laboratoire Merrill Jackson. Ils emportaient même leurs mouchoirs et leurs serviettes en papier, ainsi qu'un énorme carton de morceaux de sucre enveloppés, coincé entre les deux jeunes femmes.

Il restait très peu de place pour les effets personnels.

— Des sous-vêtements propres, une veste imperméable et deux tenues de rechange, avait énuméré Ruth au cours du dernier briefing. Et des chaussures supplémentaires ainsi que le strict nécessaire pour les affaires de toilette. C'est tout ce qu'on peut emporter.

Quand ils avaient chargé l'avion à l'aube, elle avait expliqué en souriant qu'à l'exception des instruments et des pompes à perfusion, toutes les fournitures seraient épuisées à la fin de la mission, et ils auraient beaucoup plus de place lors du vol de retour.

— Navrée de limiter les bagages, mais le matériel a la priorité. Si nos vêtements commencent à empester, nous pourrons toujours acheter des *huipiles* sur place !

Mais, pour l'heure, les chemises indiennes aux couleurs vives étaient le cadet des soucis de Kendal. Elle ignorait si c'était dû à la claustrophobie, à l'air confiné de la petite cabine ou aux manœuvres de Jason, mais elle avait l'estomac complètement révulsé.

En bonne infirmière qui se respecte, Ruth ne manqua pas de remarquer son teint livide.

— Ça ne va pas, Kendal ?

Jason Bridges se retourna avec un sourire malicieux.

— Jamais volé dans un petit appareil par mauvais temps, mon ange ?

Secouant la tête, Kendal ferma les yeux et inspira profondément pour contenir sa nausée.

Repoussant ses longs cheveux, Ruth lui posa un mouchoir imbibé d'alcool de menthe sur le front.

— N'oubliez pas de les natter à partir de maintenant, lui conseilla-t-elle.

Kendal hocha faiblement la tête, trop mal en point pour discuter.

Ruth lui tapota l'épaule.

— Vous survivrez… Jason, allez-y doucement quand vous piquerez du nez pour admirer le paysage, d'accord ?

Ruth avait commencé à appeler le Dr Bridges « Jason » dès qu'ils avaient décollé, et malgré son malaise, Kendal s'interrogea sur leurs relations. Etaient-ils intimes ? Tous deux étaient d'excellente humeur depuis qu'ils volaient, et leur complicité était évidente.

Jason Bridges se retourna vers Kendal depuis le poste de pilotage.

— Regardez par le hublot, mon ange, cria-t-il pour se faire entendre au-dessus du bruit des moteurs. La vue va vous faire oublier votre malaise.

Puis il inclina légèrement l'avion sur l'aile pour lui permettre de contempler le paysage.

Devant les yeux écarquillés de Kendal, l'impressionnant Canyon del Sumidero surgit sous ses pieds, et elle sentit une bouffée d'adrénaline la parcourir en dépit de sa nausée. Elle n'avait jamais rien vu d'aussi beau.

Constituées de strates qui formaient comme des étages, les abruptes parois de roche rouge étaient tapissées d'une végétation verte et luxuriante qui semblait couler vers le fond du canyon.

En bas, sur une rivière vert-bleu qui serpentait dans la gorge, Kendal aperçut le sillage blanc d'un bateau à moteur, minuscule jouet dans ce cadre immense et imposant.

Elle jeta un coup d'œil au pilote et vit avec surprise qu'il l'observait. Ses lunettes d'aviateur masquaient ses yeux, mais sa bouche sensuelle s'étira dans un sourire coquin.

— J'ai fait creuser ce truc juste pour vous, mon ange. J'espère que vous êtes impressionnée.

Ruth leva les yeux au ciel, et Kendal se demanda dans quel guêpier elle s'était fourrée.

De toute évidence, l'infirmière avait le béguin pour son patron, et leur relation était plus qu'amicale. Et, cependant, il n'éprouvait aucun scrupule à flirter sous son nez.

Kendal avait entendu dire que Jason Bridges aimait transgresser les règles… brisant les cœurs par la même occasion.

De fait, les règles semblaient s'être envolées par le hublot dès le décollage. Jason s'était mis à l'appeler « mon ange », Ruth s'adressait à son patron par son prénom, et Ben, d'habitude si réservé, gloussait bêtement à chaque blague stupide de Jason, comme s'ils étaient de vieux copains de régiment. Bref, on s'amusait ferme dans le petit Cessna.

Adossée à son siège, Kendal ferma les yeux. Elle dut s'assoupir, car quand elle les rouvrit, ils amorçaient leur descente vers la ville de Tuxtla Gutiérrez.

La capitale du Chiapas s'étendait sur une plaine centrale entourée de hauts plateaux, au milieu de montagnes boisées percées de rivières qui descendaient en serpentant vers les vallées. Plus loin au sud et à l'ouest, on distinguait la côte du Pacifique avec ses estuaires et ses modestes villages de pêcheurs.

Manœuvrant le petit appareil aussi facilement qu'un cerf-volant géant, Jason poursuivit sa descente en virant sur l'aile gauche.

Kendal sentit son estomac se soulever, et Ruth lui tapota le bras.

— Nous allons bientôt atterrir, vous vous sentirez mieux.

Mais sur terre, les choses ne firent qu'empirer.

Comme Kendal descendait tant bien que mal la raide passerelle du Cessna, la chaleur humide l'assaillit, comme dans un sauna. Un sauna particulièrement malodorant.

Quelle était donc cette odeur nauséabonde ? Il y avait de vagues relents de poisson — l'océan était pourtant loin — mêlés à d'écœurants effluves épicés qui rappelaient un peu la senteur piquante des oignons frits, en nettement moins appétissant.

Sous ses pieds, le tarmac était spongieux, rendu collant par la chaleur. A 10 heures du matin, le soleil dardait déjà ses rayons impitoyables, et ses vêtements étaient humides de sueur.

Elle essuya son front sur sa manche, regrettant déjà l'Oklahoma et son cher bain à bulles.

— Ben, aidez Kendal à décharger son bagage et ces caisses de médicaments, ordonna Jason tandis que les deux hommes sortaient la cargaison de l'arrière de l'appareil.

— Je peux le faire, protesta Kendal en ramassant son sac de marin.

La main de Jason se posa sur la sienne.

— Ménagez vos forces, ma jolie, dit-il avec un sourire amusé. Pour l'instant, vous semblez incapable de soulever une puce. Et à propos…

Libérant sa main, il sortit une bombe de répulsif à insectes de sa poche et la lui tendit.

— Ce truc empeste, mais vous feriez mieux d'en mettre, ou les moustiques ne feront de vous qu'une bouchée.

Ben prit l'atomiseur des mains de la jeune femme.

— Ce n'est pas si terrible…, dit-il d'un ton rassurant. Fermez les yeux et tournez la tête.

Il lui vaporisa les bras et les jambes à coup de brèves pulvérisations efficaces.

Pas si terrible ? Le produit avait des relents affreusement toxiques. Du DDT pur, probablement.

L'estomac retourné par l'odeur, Kendal considéra d'un œil torve le dégoûtant résidu huileux laissé sur sa peau par le répulsif. Elle ne pouvait pas se sentir plus mal.

Elle se trompait.

Ils se mirent en route, traversant le tarmac en direction d'une camionnette blanche cabossée dont le pot d'échappement crachait des gaz noirs.

Jason étreignit le jeune chauffeur mexicain avec affection.

— *El Medico !* s'écria celui-ci en lui tapant dans le dos.

Il tourna ses yeux noirs vers Kendal, souriant de toutes ses dents, et elle aperçut la légère cicatrice laissée par l'opération d'un bec-de-lièvre.

— *Dos chicas ? Dos lindas*. Hé ?

Jason sourit et lui répondit en espagnol.

— Oui, elles sont très belles. Mais attention, Alejandro, cette *chica*-là parle espagnol.

L'expression du jeune Mexicain se fit polie, respectueuse.

— *Buenos dias, senorita.*

— *Buenos dias,* répliqua courtoisement Kendal, mais ses joues brûlaient à la pensée que cet homme pût la prendre pour une des *chicas* — une des filles — de Jason.

— Montez, reprit Jason en lui prenant le bras pour l'aider à grimper dans la fourgonnette.

Les laissant se débrouiller avec les bagages, elle s'adossa à son siège, privée de ses forces.

Le véhicule était équipé d'une climatisation poussive qui battit en retraite quand Alejandro et Ben chargèrent les caisses et les bagages à l'arrière, laissant la chaleur et les gaz d'échappement s'engouffrer par la portière ouverte.

Quand tout l'équipement fut chargé et tout le monde installé sur les sièges d'une propreté douteuse, les portières claquèrent.

Assis près de Kendal, Jason Bridges glissa un bras sur le dossier derrière elle.

— Prête pour une nouvelle balade agitée, ma jolie ?

chuchota-t-il, si proche qu'elle sentit son souffle moite sur sa tempe. Allez, vous survivrez. N'hésitez pas à poser la tête sur mon épaule, si vous voulez.

Elle ne se laissa pas intimider. Le séducteur de ces dames devrait faire mieux que ça s'il voulait l'impressionner. Elle sourit.

— Mais bien sûr, répondit-elle calmement, les yeux fixés sur son propre reflet dans ses lunettes noires. Cela dit, j'ai encore un peu la nausée, et c'est à vos risques et périls…

Il ne se troubla pas ni ne s'écarta.

Au contraire, il lui adressa un sourire démoniaque, et ses dents blanches étincelèrent dans son visage bronzé.

— Vous vous débrouillerez, petite, commenta-t-il comme pour lui-même. Vous vous débrouillerez… *Vamonos !* cria-t-il à Alejandro.

Le véhicule s'ébranla en cahotant et le chauffeur se faufila en klaxonnant dans les rues bondées et truffées de nids-de-poule de Tuxtla Gutiérrez.

Il s'engagea ensuite sur une étroite route à deux voies qui montait en serpentant vers les hauts plateaux, et descendait de l'autre côté des montagnes sous la forme d'un chemin défoncé à peine carrossable.

Kendal finit par perdre ses repères. Une chose était sûre : ils avaient échoué sur un sentier poussiéreux qui les conduisait au cœur de la jungle sombre et mystérieuse…

5.

Jason esquissa un sourire devant les tentatives désespérées de la jolie brune pour fuir son contact. La façon dont elle évitait de le toucher avait quelque chose d'émouvant, trahissant l'attirance qu'elle éprouvait pour lui. Lui-même avait eu beaucoup de mal à garder ses distances avec elle au cours de la semaine qui venait de s'écouler.

Son physique de belle brune pulpeuse le fascinait. Elle avait la peau la plus pâle qu'il ait jamais vue. Laiteuse. Il plongea les yeux dans l'échancrure de sa chemise de lin. *Mmm…* Magnifique.

Ses sourcils d'un noir de jais et ses longs cils épais formaient un contraste saisissant avec son teint de porcelaine, et ses lèvres roses appelaient les baisers. En attendant d'y goûter, il prenait un plaisir fou à la contempler.

Détournant les yeux avec effort, il sourit en regardant la jungle dense défiler le long du chemin. Il ne s'était pas autant amusé depuis des années. Il n'arrivait pas à croire qu'il avait réussi à convaincre cette charmante créature de le suivre au Chiapas.

Bien sûr, elle avait son programme, vendre des médicaments, mais lui aussi avait le sien : la séduire.

Pas de problème. Ils pouvaient tous deux arriver à leurs fins s'il jouait serré.

Si le Paroveen se révélait efficace, elle croulerait sous les commandes, car il avait beaucoup d'influence sur ses confrères chirurgiens.

Et s'il arrivait à la séduire, aucun des deux n'oublierait cette expérience unique.

En la voyant se mordiller un ongle, il songea que ses jolies mains manucurées seraient bientôt de l'histoire ancienne. Il avait remarqué, lorsqu'elle venait le voir à l'hôpital, qu'elle prenait grand soin de sa personne, et portait des vêtements chers, montrant une apparence toujours impeccable, voire chichiteuse.

Elle allait devoir se contenter du contenu d'un modeste sac de marin pendant trois semaines, et il se demanda si elle passerait son temps à geindre.

Enfin, même si elle était superficielle, matérialiste et gâtée, elle était quand même la fille la plus fascinante qu'il ait jamais rencontrée. Et il en avait rencontré beaucoup.

Oui, décidément, ce séjour au Chiapas promettait d'être infiniment plus amusant que les précédents. Tout cela grâce à Kendal Collins.

Durant les premières heures dans la jungle, Kendal eut l'impression d'évoluer dans un brouillard maussade. Il s'était mis à pleuvoir pendant qu'ils roulaient dans la forêt, et l'humidité était de plus en plus suffocante. Elle luttait toujours contre la nausée et, pour couronner le tout, elle souffrait maintenant d'une migraine atroce.

Mais elle avait insisté pour se mettre au travail, comme les autres. L'équipe commença à sortir le matériel de la camionnette pour l'emporter vers une grande bâtisse au toit de chaume. A l'intérieur, une belle et plantureuse Mexicaine étreignit Jason avec effusion.

— *Amigo !* Vous voilà de retour !

— C'est notre anesthésiste, expliqua Ruth à Kendal. Elle est bénévole, comme nous. Elle s'appelle Angelica et elle vient de San Cristobal de las Casas, au sud d'ici.

— N'est-ce pas là que se trouvent les amis missionnaires de Ben ?

— Si. Ils travaillent avec les personnes déplacées dans les bidonvilles. Vous verrez.

Kendal trouva qu'Angelica, bien que forte pour une femme maya, était saisissante dans le genre androgyne. Elle avait des seins lourds et une grosse tresse noire qui se balançait dans son dos tandis qu'elle soulevait des cartons aux côtés des hommes. Elle était vêtue de façon simple et fonctionnelle d'un T-shirt blanc informe et d'un short kaki. Mais sa natte était entrelacée de rubans de couleur à la manière des femmes indigènes, modeste hommage à sa féminité et sa culture.

— Pourquoi nous installons-nous dans la jungle ? demanda Kendal pendant que Ruth la chargeait de paquets de serviettes en papier.

— Par discrétion. Les autorités locales ne nous aiment pas, répliqua Ruth en tentant de décharger une caisse manifestement trop lourde pour elle. En fait, Angelica prend des risques en travaillant avec nous. Même les missionnaires médicaux ont des ennuis parfois.

Kendal s'avança pour lui donner un coup de main.

— Pourquoi ?

— Nous aidons les rebelles.

— Les rebelles ?

— Les *zapatistas*. Des autochtones qui se battent pour améliorer les conditions de vie de la population indigène. Quelquefois… Ouch !

Ruth s'interrompit, pliée sous la charge, et Kendal l'aida à poser la caisse sur le sol.

— Quelquefois ? s'enquit-elle.

— A plusieurs reprises, Jason a opéré des gens qui avaient été blessés par un sale type nommé Varajas, un homme qui terrorise les *zapatistas*. Il n'hésite pas à s'attaquer aux femmes et aux enfants en brûlant leurs maisons.

— Mais pourquoi ? questionna Kendal, épouvantée.

— Il ne veut pas qu'on se précipite à Mexico pour ramener la loi et l'ordre ici. Jason pense qu'il est impliqué dans un trafic de narcotiques dans les montagnes.

— Pourquoi ne le dénonce-t-on pas aux autorités ?

— Personne ne l'a jamais vraiment vu, et on ne

sait pas où se trouve son campement. Tous ceux qui ont essayé de le localiser sont morts.

— Mais comment les gens ayant besoin de soins chirurgicaux nous trouveront-ils ? Et quand ils viendront ici, n'y en aura-t-il pas parmi eux pour parler de cet endroit à Varajas ?

— Nous allons installer un poste pour accueillir les gens sur la place de San Cristobal. Les villages voisins connaissent notre arrivée par le bouche à oreille, et par les missionnaires. Officiellement, nous sommes là pour vacciner gratuitement, au cas où quelqu'un nous chercherait des ennuis. Mais pendant que nous serons là-bas, Jason pourra discrètement filtrer ceux qui ont besoin d'une opération. Et nous ne donnerons des indications pour venir ici qu'aux seuls patients et à leurs familles. Nous bénéficierons de l'aide des villageoises qui se font appeler *curanderas*, des guérisseuses, mais sont plus apparentées aux infirmières.

Kendal regarda autour d'elle, sidérée par le cadre sommaire, pour ne pas dire primitif.

Ouverte sur trois côtés protégés par des moustiquaires, la vaste pièce carrée était sombre, humide, sale. C'était ça, leur bloc opératoire ? Apparemment oui. Il y avait deux tables d'opération identiques au centre, des lits de réveil le long du mur, et Angelica avait déjà installé son appareil d'anesthésie. L'équipement était spartiate, remarqua Kendal avec consternation : tables et étagères rudimentaires, éclairage opératoire sommaire par des ampoules nues complétées par quelques lanternes, cuvettes pour le lavage des mains à l'alcool, énorme caisse de gants jetables sans couvercle... Elle ne vit aucune chaise. Apparemment, on ne s'asseyait pas ici.

Angelica n'arrêtait pas de parler, donnant des ordres à Ben et au chauffeur, évaluant la formidable tâche qui attendait Jason, plaisantant avec Ruth. Elle s'exprimait dans un anglais haché lorsqu'elle s'adressait à Jason et à Ruth, et en espagnol avec les autres, y compris Kendal quand elle apprit qu'elle maîtrisait cette langue.

Tant que la bavarde anesthésiste était dans les parages, Kendal n'aurait pas à jouer les interprètes. Elle s'attela donc au travail avec les autres.

Ils commencèrent par fixer les moustiquaires avec une lourde agrafeuse adroitement maniée par Jason.

Puis Kendal et Angelica rangèrent la généreuse provision d'échantillons d'antibiotiques, d'antalgiques et d'anesthésiques de Merrill Jackson à côté des maigres fournitures de l'anesthésiste.

Manifestement, Angelica connaissait bien son métier et semblait très consciencieuse dans son travail.

— Je ne vous remercierai jamais assez pour tous ces médicaments, dit-elle en anglais, en contemplant les boîtes pharmaceutiques d'un air appréciateur.

— Je vous en prie, répliqua Kendal en espagnol. Je vous demande seulement de citer le nom de ma société pour qu'elle soit reconnue par le gouvernement mexicain.

— Reconnue ? répéta Angelica avec un sourire moqueur. Croyez-le ou pas, mais il y a à Mexico des gens qui n'apprécient pas les médecins comme Jason.

Quand l'équipe est venue ici avec Médecins sans frontières, il y a deux ans, le ministre de la Santé a fait saisir leur matériel chirurgical et leurs fournitures à l'aéroport de Mexico, et Jason a eu un mal fou à les récupérer. Depuis cet incident, il ne veut plus courir de risque. C'est pourquoi il revient ici en cachette, dans son avion privé. Et ses missions humanitaires ne passent plus par les voies officielles.

Kendal n'en fut pas autrement surprise, car lorsqu'un couple d'aimables Mexicains leur avaient fait passer la douane à Nuevo Laredo, elle avait soupçonné Jason d'agir à l'insu des autorités. Ce besoin de discrétion expliquait peut-être qu'il ait persisté à voler à basse altitude au-dessus des montagnes, pour éviter les détections radar.

— Il fait ça tout seul ?

— Pas tout seul, répondit Angelica avec un sourire malicieux. Il nous a, nous... Qui saura ce qu'il fabrique dans la jungle ? A moins, bien sûr, qu'un espion de Varajas nous trouve.

Encore ce nom.

— Vous connaissez ce Varajas ?

Angelica s'esclaffa.

— Personne ne le connaît, mon petit, et personne ne veut le connaître. Les gens d'ici sont craintifs, superstitieux. Ils ne voient rien, ne disent rien.

Kendal en eut la chair de poule. Et si quelque chose tournait mal ? Si un patient mourait ? Elle se demanda dans quel guêpier elle s'était fourrée.

Son inquiétude n'échappa pas à Angelica.

— Rassurez-vous, Jason sait se défendre. Depuis

quand connaissez-vous notre *El Lobo* ? s'enquit-elle avec malice, les yeux fixés sur elle pour observer sa réaction.

Kendal eut du mal à cacher sa stupéfaction. Le Loup ? La réputation de cet homme s'étendait-elle donc jusqu'à l'équateur ?

— Certaines femmes aiment les loups, vous savez. Vous le connaissez bien ?

Kendal étudia plus attentivement leur hôtesse. Cette Amazone n'avait quand même pas couché avec le médecin américain !

Mais malgré son gabarit impressionnant, Angelica était une très belle femme dans le genre exotique, avec sa peau mate et ses prunelles noires.

— En fait, pas du tout, répliqua Kendal dans le dialecte local utilisé par Angelica pour éviter de se faire comprendre de Jason. Je suis envoyée ici comme bénévole par ma société pour présenter un nouveau médicament et consigner les résultats. Nous fournissons aussi des vaccins dans le cadre de l'aide humanitaire.

— Oui, je sais, dit Angelica, confuse. Et on ne vous en remerciera jamais assez. Je ne voulais pas vous insulter. Mais j'ai cru… à la manière dont il vous regarde… Il me semble qu'il m'a dit que vous étiez son interprète.

— C'est exact, et je l'aiderai autant que je pourrai, répondit Kendal qui se demanda *comment* Jason pouvait bien la regarder.

— Si vous traduisez pour lui, vous serez scotchée à lui, *chica,* commenta Angelica, revenant à l'anglais.

Il travaille un nombre d'heures impressionnant, et Martinez en avait souvent assez. Vous n'aurez pas un instant pour souffler.

Et, élevant le ton, elle poursuivit :

— S'il vous est encore inconnu, vous ne le connaîtrez que *trop* bien avant la fin de cette mission. Faites attention à lui, *chica,* ajouta-t-elle en espagnol. Il peut se comporter comme un *asqueroso.*

Indifférent jusque-là aux bavardages d'Angelica, Jason lui décocha un regard meurtrier en entendant le mot *asqueroso,* qui pouvait se traduire poliment par « sale petit con ».

L'ignorant, l'anesthésiste contempla la rangée de médicaments d'un air innocent.

— C'est presque fini, dit-elle avec un sourire satisfait. On sort en fumer une ?

— Non. *Gracias,* répondit Kendal. Je ne fume pas.

— Vous avez bien raison, *chica.*

Angelica sortit sous le porche et alluma une cigarette.

Jason et Ruth la suivirent pendant que Kendal finissait de ranger les médicaments.

A un moment, elle vit Angelica sortir la cigarette de sa bouche pour la glisser entre les lèvres de Jason. Il prit une longue bouffée, marmonna quelque chose en soufflant la fumée et tout le monde pouffa.

Kendal se rendit compte qu'elle ne connaissait vraiment pas du tout cet homme.

Quand les fumeurs revinrent, Jason lui jeta un regard ironique.

— Vous avez encore mauvaise mine, ma jolie, vous êtes verte. Allongez-vous, si vous voulez, dit-il en désignant les tables d'opération au centre de la pièce.

— Je vais bien.

Puis elle se pencha vers un carton pour en sortir des fournitures.

— Il faudrait la faire manger bientôt, commenta Ruth.

— Viljo est en train de préparer *la comida*, dit Angelica.

La comida, le lourd déjeuner mexicain. A cette seule pensée, Kendal sentit son estomac se soulever.

— Qui est Viljo ? demanda-t-elle pour détourner l'attention de sa personne.

— Il dirige la pension crasseuse sur la route, répondit Angelica.

— Il m'arnaque d'environ dix mille dollars chaque année, précisa Jason de l'autre bout de la pièce.

— Jason loue tout le vieil hôtel pendant notre séjour, expliqua Ruth. Nous y gardons les patients opérés jusqu'à ce qu'ils soient en état de voyager. Viljo fournit la nourriture, le linge, tout ça. Et Jason paye la facture.

Kendal émit un sifflement, impressionnée par tout ce que faisait Jason pour aider ces pauvres gens.

En réponse, il lui adressa un sourire railleur.

— Malgré mes efforts, je n'arrive pas à dépenser *tout* mon argent avec les femmes…

Ils travaillèrent encore une heure, puis ils pataugèrent dans un sentier détrempé pour se rendre au vieil hôtel délabré.

Construit en pierre blanche sur trois niveaux, l'édifice semblait avoir été posé au milieu de la jungle en des temps immémoriaux pour des raisons oubliées depuis longtemps.

Kendal eut l'impression bizarre d'avoir échoué dans le film *Casablanca*. Sans vitres ni moustiquaires, les hautes fenêtres étroites étaient seulement pourvues de volets. L'épais carrelage rouge qui recouvrait le sol était encore glissant de l'averse récente, et les portes voûtées du hall d'entrée ouvertes sur l'air humide étaient flanquées d'une végétation luxuriante.

A l'intérieur, on les installa à des tables bancales couvertes de nappes de plastique collant, et on leur servit un repas pantagruélique composé de plats locaux épicés qui ne firent rien pour apaiser l'estomac révulsé de Kendal.

Tout — la nourriture, les odeurs, les lieux— lui semblait étranger, crasseux, oppressant. A l'évidence, elle n'était pas en villégiature cette fois. Il régnait dans l'hôtel un air épais empestant le renfermé, difficilement respirable.

Comme elle picorait dans son assiette en s'efforçant de finir une bouteille de soda, elle sentit les yeux de Jason sur elle.

— Vous avez mal à la tête ?

Acquiesçant, elle pressa la bouteille fraîche contre sa tempe.

— C'est la chaleur et l'humidité.

— Après le déjeuner, emmenez-la aux quartiers du

chirurgien…, ordonna-t-il sur un ton un peu ironique à Angelica. Plus sérieusement, il fera plus frais dans la jungle…

Les « quartiers » de Jason s'avérèrent être une tente sale et distendue plantée à l'ombre de grands acajous, non loin du bâtiment qui servirait de bloc opératoire.

Angelica aida Kendal à s'installer sur un lit étroit, dans la pénombre fraîche de la tente.

En s'allongeant sur le sac de couchage rêche et bosselé, elle perçut vaguement le bourdonnement d'une mouche et l'odeur de moisi de l'oreiller. Mais elle avait si mal au crâne qu'elle se moquait de ces légers désagréments.

Lui ôtant ses sandales, Angelica lui demanda si elle pensait pouvoir garder quelques cachets.

— Pourquoi ?

— Vous avez une vilaine migraine, non ?

Kendal acquiesça faiblement, et l'anesthésiste fouilla dans son short et en sortit deux comprimés de Percocet.

— Ce n'est pas un peu trop ?

Kendal regardait le narcotique familier généralement obtenu sur ordonnance, mais sans doute ne se souciait-on pas des prescriptions au beau milieu de la jungle…

— Vous ne dormirez jamais si vous ne prenez pas un calmant. Et c'est tout ce que j'ai sur moi. A moins que vous préfériez que je vous emmène là-bas pour vous assommer à coup d'anesthésique.

Kendal se sentait si mal qu'elle ne voyait pas

vraiment d'objection à être anesthésiée pour trouver l'oubli. Mais elle prit les pilules et les avala avec le reste de son soda.

En dépit de son inconfort, elle sombra immédiatement dans un sommeil comateux dont elle n'émergea qu'en entendant le froissement de la toile de tente qu'on rabattait.

Le soleil avait fait son apparition, et un rayon de lumière orangée perçait la pénombre poussiéreuse.

Elle battit des paupières et vit la silhouette massive de Jason s'encadrer dans l'ouverture. Le soleil était bas. Elle devait dormir depuis des heures.

— Comment va notre intrépide VRP ? la taquina Jason en pénétrant sous la tente.

Comme s'il ne savait pas qu'elle allait horriblement mal ! Elle était sale, mal coiffée, fripée des pieds à la tête, encore vaguement nauséeuse. Et elle était trop lasse pour répliquer.

Il se planta près de son lit, jambes écartées, et lui sourit. Pas du sourire du séducteur contemplant sa proie à sa merci, mais d'un sourire gentil, bienveillant. Le genre de sourire qu'un père aurait pu adresser à son enfant à son réveil.

— Pas si intrépide, je le crains, protesta-t-elle, un peu honteuse d'avoir dormi pendant que les autres travaillaient.

— Vous vous défendez très bien. Le premier jour est toujours le plus dur. Tenez…

Il lui tendit un petit gobelet médicinal. Se redressant sur un coude, elle fronça les sourcils en reconnaissant le liquide rose visqueux. Elle détestait le Pepto-Bismol.

— Buvez, ordonna-t-il.

— Ça va vraiment me soulager, ou ça ne fera qu'empirer les choses ?

— Ça vous soulagera. Vous n'êtes pas ici depuis assez longtemps pour avoir de réels embarras intestinaux… Vous avez commencé le traitement préventif, n'est-ce pas ?

Hochant la tête, elle saisit le gobelet.

— Et vous avez pris vos comprimés contre la malaria ?

Elle acquiesça. Elle les prenait toujours, d'ailleurs.

— Vous croyez qu'ils pourraient me donner la nausée ?

Il sourit.

— Ça peut être n'importe quoi. Le mal des montagnes, l'excès de soleil… je suppose que vous n'êtes pas enceinte ?

— Malheureusement non.

— Malheureusement ? Vous voudriez l'être ?

— Non ! Enfin, si. Je veux dire… Je veux avoir des enfants un jour. Mais pas par hasard. Quand je dis malheureusement, ça signifie que… Eh bien, je n'ai aucune raison de l'être… pas en ce moment.

— C'est malheureux, en effet, commenta-t-il, mais son large sourire démentait ses paroles. Buvez.

Pendant qu'elle avalait péniblement l'affreux breuvage, il se percha au bord de l'étroit lit de camp. Ils étaient tous deux en short, et la sensation de sa jambe musclée pressée contre la sienne la troubla tant qu'elle faillit s'étouffer avec l'écœurant liquide.

— Je parie que vous commencez à regretter d'être venue dans cet endroit crasseux grouillant d'insectes, reprit-il en chassant un moustique du bras de la jeune femme.

Il portait un T-shirt humide de sueur dont il avait retroussé les manches jusqu'aux épaules, à la manière de Marlon Brando. Il était plus beau que jamais, mais il semblait fatigué. Des cernes sombres marquaient ses yeux bleus, et elle se demanda ce que lui et les autres avaient fait pendant qu'elle dormait. De toute évidence, ils n'étaient pas restés les bras ballants.

— Au contraire, répondit-elle. Après ce que m'a dit Angelica, j'ai hâte de me mettre au travail.

Elle se redressa en tentant discrètement de s'écarter de lui, un peu étourdie par l'antalgique qu'elle avait pris.

— Ah ? Et que vous a-t-elle dit ? demanda-t-il.

Les yeux de Jason parcoururent son visage avant de glisser vers sa poitrine, et elle prit conscience de la sueur qui coulait entre ses seins.

Sans réfléchir, elle s'essuya du bout des doigts. Il suivit son geste du regard avant de fixer ses mains.

— Que vous êtes ici à l'insu du gouvernement. Que le bouche à oreille prévient la population de votre arrivée, et que les pauvres indigènes doivent se déplacer jusqu'ici pour que vous puissiez les opérer.

— Oh, ça… En vérité, je ne sais jamais ce que va dire Angelica. Elle a la fâcheuse habitude de passer au dialecte local quand elle ne veut pas que je comprenne.

— Elle n'a rien dit de désobligeant.

— Vraiment ? fit-il avec un sourire en coin. Eh bien, je suis déçu. Vous êtes sûre qu'elle ne m'a pas qualifié de sale petit con… ou de Loup ?

Kendal ne put s'empêcher de rire.

— Angelica est vraiment quelqu'un de spécial, reprit-il d'un ton léger. C'est elle qui m'a trouvé ce surnom, il y a deux ans, lors de mon premier voyage au Chiapas. Et Ruth l'a colporté à Integris.

Kendal haussa les épaules.

— Il n'y a pas de fumée sans feu.

Elle ne devait pas le regarder dans les yeux trop longtemps si elle voulait respirer normalement. Il avait un regard si intense. Si pénétrant.

— J'ai des préoccupations beaucoup plus graves que ma réputation de séducteur.

— Je vois.

— Et vous allez en voir beaucoup avant la fin de ce séjour. Venez, dit-il en lui tendant une main. Désolé d'interrompre votre sieste, Belle au bois dormant, mais j'ai besoin de votre aide. Le tirage va bientôt commencer.

Elle voulut lui demander ce qu'il entendait par là, mais quand elle glissa sa main dans la sienne pour qu'il l'aide à se lever, elle oublia, et un frisson la parcourut quand elle lui fit face sous la petite tente. Il garda sa main une seconde de trop, et ses doigts forts et chauds pressèrent légèrement les siens.

— Vous tremblez, et vous n'avez pas l'air très solide sur vos jambes. Ça va ?

Elle leva les yeux vers lui.

— Je suis juste un peu fatiguée.

Un mensonge ridicule. Elle venait de dormir deux, peut-être trois heures !

Il la scruta sans la lâcher.

— Qu'est-ce qu'Angelica vous a donné ?

— Du Percocet.

— Regardez-moi. Il faut que j'examine vos pupilles.

Leurs regards se soudèrent et, dans la pénombre de la petite tente, l'atmosphère devint curieusement intime. Kendal eut soudain l'image de leurs corps étroitement enlacés, promesse de passion, de secrets, de magie. Cette jungle était si étrange, si étouffante. Et elle n'avait aucun mal à imaginer des choses insensées sous cette tente, avec cet homme. Des choses folles.

Elle vacilla et dégagea ses doigts, choquée par ses propres pensées. C'était sans doute dû au narcotique qu'elle avait absorbé. Jason n'y était pour rien.

— Je vais bien.

— Non, répliqua-t-il d'une voix un peu rauque.

Il la dévisageait de son regard étrange, comme si lui aussi ressentait quelque chose de bizarre. Il lui reprit la main pour l'attirer imperceptiblement vers lui. Puis il inclina la tête, et son souffle se mêla au sien…

Battant des paupières, Kendal se ressaisit.

— Je vais très bien. Vraiment.

Elle se libéra et se détourna, troublée, parce que les lèvres de Jason s'étaient arrêtées à quelques millimètres des siennes.

Il lui adressa un sourire coquin.

— Tant que vous pourrez traduire l'espagnol en anglais et vice versa… Bon, soupira-t-il en jetant un coup d'œil au soleil de fin d'après-midi. Allons-y. Où sont vos souliers, fillette ?

— Là, dit-elle, désignant ses sandales.

A la stupéfaction de Kendal, il s'agenouilla et lui enfila une chaussure puis l'autre. Gênée par l'intimité de son geste, elle détourna la tête pendant qu'il s'affairait.

— Quel tirage ? demanda-t-elle pour s'arracher à l'ensorcelante sensualité qu'il dégageait. De quoi parliez-vous il y a un instant ? Vous avez dit quelque chose à propos d'un tirage ?

Elle devina plus qu'elle ne vit son sourire espiègle pendant qu'il finissait de lui attacher ses sandales.

— Je vous le répète, ma jolie, dit-il en se relevant, vous devez vous préparer à voir beaucoup de choses étranges ici…

6.

Dehors, la vieille camionnette cabossée les attendait en vomissant sa fumée noire. Les grandes dents blanches d'Alejandro étincelèrent dans son visage tanné quand il aperçut Kendal.

— La jolie petite *chica*, elle va survivre, doc ? demanda-t-il à Jason en espagnol.

— La *chica* va bien, riposta sèchement Kendal dans la même langue pour lui rappeler qu'elle la maîtrisait parfaitement.

— *Si*. Je vois ça…, commenta Alejandro d'un ton poli, mais non sans une certaine insolence.

Jason guida la jeune femme vers la fourgonnette d'une main légère.

— Ne faites pas attention à lui, lui chuchota-t-il à l'oreille. C'est un macho. Réjouissez-vous juste de ne pas être blonde.

Il sauta dans le véhicule, s'assit près d'elle et referma la portière.

— *Vamos !* lança-t-il.

Quand le jeune chauffeur démarra en trombe, Kendal se retourna. A l'arrière, les petites boîtes de vaccins données par sa société rebondissaient comme des haricots sauteurs.

— Les vaccins ! s'écria-t-elle.

— Ralentis, Alejandro ! hurla Jason. Il est tout excité quand il conduit… Ça ne lui arrive pas souvent, ajouta-t-il en baissant le ton.

Elle n'en fut pas rassurée pour autant quand la camionnette reprit en cahotant la même route étroite qu'à l'aller au milieu de la jungle.

Glissant un bras nonchalant sur le dossier derrière la jeune femme, Jason s'adressa à Alejandro :

— Alors, les gens ont déjà commencé à arriver ?

Kendal avait l'impression d'être minuscule à côté du grand corps de Jason. Elle se pencha légèrement en avant pour éviter tout contact avec le bras musclé posé derrière elle, mais elle sentait néanmoins la chaleur irradiée par son épaule et son torse.

Dans le rétroviseur, le regard d'Alejandro se fixa sur elle tandis qu'il répondait à Jason.

— Il paraît que certains sont en ville depuis deux jours. Vous savez comment c'est, doc. Ils sont tellement superstitieux… Ils croient que décrocher un numéro parmi les premiers augmente leurs chances au tirage.

Ruth avait dit à Kendal qu'ils auraient un jour ou deux pour s'installer et s'acclimater, mais apparemment, ils allaient devoir se mettre au travail tout de suite.

— Quel tirage ? s'enquit-elle. De quoi s'agit-il ?

— La *chica* va le voir tôt ou tard, *El Medico*, remarqua gravement Alejandro.

Jason eut un sourire triste.

— J'espère que vous comprendrez… C'est la seule façon.

— Mais de quoi parlez-vous ?

— Les gens prennent un numéro, et on procède à un tirage au sort. Seuls ceux qui tirent les bons numéros se font opérer.

Kendal battit des paupières, songeant à l'énorme différence entre la vie qu'elle menait en Amérique et celles de ces malheureux paysans.

— Vous voulez un conseil ? lui demanda Jason qui l'observait.

Elle scruta son visage. Comment cet homme pouvait-il venir ici année après année faire son travail humanitaire, et reprendre ensuite le cours de son existence de play-boy comme si de rien n'était ?

— Ne vous impliquez pas affectivement, chuchota-t-il.

— C'est votre solution, n'est-ce pas ?

Il acquiesça, le visage durci.

Tournant la tête, elle regarda par la vitre crasseuse.

— Eh bien, ce n'est pas la mienne. Je ne m'endurcirai pas le cœur comme ça.

Ils quittèrent bientôt la jungle pour prendre un raccourci vers la route 190 qui semblait grimper sans fin dans les montagnes avant de plonger dans une jolie vallée plantée de pins et baignée de lumière. Kendal aperçut, en retrait de la route, les mystérieux villages mayas dont Ruth lui avait parlé.

— San Cristobal de las Casas, annonça fièrement Alejandro. La belle San Cristobal…

La vieille ville coloniale se distinguait dans le lointain.

— C'est magnifique ! murmura Kendal en apercevant les hauts murs de pierre, les églises et les vieux édifices de style espagnol de l'ancienne cité.

— Très romantique, commenta Jason.

Atteignant les faubourgs de la ville, ils passèrent devant de misérables taudis aux murs de béton ou de pisé. Jason lui expliqua que des milliers de réfugiés vivaient dans ces sordides colonies de fortune.

— D'où viennent-ils ?

— Ils ont été chassés des villages indigènes isolés pour s'être convertis au protestantisme, répondit Jason avec amertume.

— Mais c'est insensé.

— Ce n'est pas la terre de la liberté, ma jolie.

Confrontée à la misère qu'elle voyait défiler le long de la route, Kendal sentit son cœur se serrer. La plupart des masures n'avaient même pas de vitres aux fenêtres, et par les portes ouvertes à tout vent, on apercevait un mobilier grossier. Par endroits, on avait construit de dérisoires clôtures de guingois avec des bâtons ramassés dans les sous-bois.

San Cristobal de las Casas était radicalement différente de ce que Kendal avait imaginé. Elle s'attendait à trouver une ville tentaculaire et oppressante, à l'image de Tuxtla Gutiérrez, mais les étroites rues pavées de San Cristobal serpentaient paisiblement sur de charmantes collines boisées.

Sur la place centrale de la ville, des centaines de paysans pauvres attendaient patiemment dans le soleil déclinant. Des enfants tapaient dans un ballon, d'autres rendaient de menus services ou colportaient des objets de pacotille.

Dans la foule, il y avait des touristes américains qui photographiaient l'église de Santo Domingo ou achetaient des babioles artisanales aux commerçants des petites échoppes en plein air installées autour de la place.

— D'où ces gens viennent-ils ? demanda Kendal tandis que la camionnette se faufilait parmi la foule.

— Des montagnes et des collines environnantes.

— Comment ont-ils su qu'ils devaient venir ici ? Aujourd'hui ?

— Comme l'a dit Alejandro, certains sont déjà là depuis un ou deux jours, répondit Jason. Et le bouche à oreille fonctionne bien, surtout grâce aux missionnaires. La plupart veulent se faire vacciner gratuitement, mais les médecins d'ici n'aiment pas mon style. Nous allons vacciner tous ceux que nous pourrons et sélectionner nos candidats à la chirurgie, puis nous repartirons dès ce soir.

— Que voulez-vous dire par ils n'aiment pas votre style ?

— Je fais le travail dont ils ne veulent pas se charger.

— Comme soigner les dommages commis par Varajas ?

— Qui vous a parlé de Varajas ?

— Ruth et Angelica.

— J'aurais dû m'en douter. Ah, les femmes…

La camionnette s'arrêta le long du trottoir. Au

centre de la place, Angelica les attendait, debout sur une petite estrade.

— Vous ne projetez quand même pas d'opérer tous ces gens ? demanda Kendal comme Jason ouvrait la portière et sautait du véhicule.

— Je vous l'ai dit, je n'opérerai que les plus chanceux, répliqua-t-il en lui tendant la main. Restez près de moi, et faites ce que je vous dis. Quand je vous le demanderai, traduisez. *Comprende ?*

Elle hocha la tête.

Les paysans s'étaient levés en voyant le médecin. Ils se précipitèrent vers lui d'un même élan, malgré les efforts d'Angelica pour les retenir.

— *Esperen !* Attendez ! cria-t-elle. Nous procéderons au tirage au sort dans un moment !

Mais on l'ignora. Hommes et femmes s'agglutinaient autour de Jason, l'appelant *El Medico Jase* ! Ils souriaient, lui tendaient leurs enfants, le remerciaient.

Jouant des coudes pour arriver jusqu'à lui, une vieille femme lui montra une photo Polaroïd froissée d'un enfant. De toute évidence, il s'agissait de l'un de ceux que Jason avait opérés un an plus tôt, de becs-de-lièvre, de brûlures, d'angiomes et Dieu sait quoi encore.

— *Esperen !* s'époumonait Angelica.

Jason touchait les gens, leur serrait la main, ébouriffait les cheveux d'un gamin, caressait la joue balafrée d'un bébé potelé, parlait aux paysans qui lui répondaient dans un mélange d'espagnol et de maya.

Exprimés en anglais, ses propos étaient simultanément traduits en espagnol par Kendal, et en maya par Angelica.

Mais en voyant la multitude s'exciter, crier, rivaliser pour attirer l'attention de Jason, Kendal se rendit compte que l'une d'elles devrait contenir la foule pendant que l'autre servirait d'interprète à Jason quand il verrait les patients un par un.

— Faites la queue ici pour vous faire vacciner ! hurla Angelica en désignant une table bancale dressée sous un auvent près de l'estrade. Nous allons bientôt tirer les numéros au sort !

Kendal suivit Jason qui se dirigeait vers deux chaises installées à l'ombre du velum.

Il lui jeta un coup d'œil par-dessus son épaule, un sourire railleur aux lèvres.

— Alors, vous vous amusez bien ?

Puis il lui fit signe de s'asseoir sur une chaise et resta debout derrière l'autre.

— Vous ne vous asseyez pas ? demanda-t-elle.

— Non.

Les gens commencèrent à affluer devant l'auvent, mais aucun ne pénétra dessous. Ruth et Angelica étaient déjà prêtes à administrer les vaccins.

Une jeune Maya surgie de nulle part s'assit à la table et prit un stylo et un carnet à spirale, le visage grave.

Angelica glissa la main dans une grande jarre de terre cuite et en retira un bout de papier.

— *Catorce !* annonça-t-elle. Quatorze.

Un jeune homme s'avança, portant un bébé trop maigre dont la frimousse était déformée par une fente béante, comme si on l'avait coupée en deux. Il tendit un papier à la jeune femme au carnet et lui donna son nom puis il s'approcha de Jason qui lui offrit la chaise à côté de Kendal.

Quand le paysan fut assis, son bébé sur les genoux, Jason s'accroupit et commença à examiner l'enfant. Angelica vaccina le nourrisson pendant que Jason posait au papa toutes sortes de questions que Kendal traduisait, et la jeune Maya au visage grave notait les informations dans son carnet à spirale.

— Vous n'utilisez pas de méthode de triage ? demanda Kendal, ne pouvant pas concevoir qu'il ne s'occupe pas en priorité des cas les plus urgents.

Jason photographiait le bébé à présent, se servant d'abord de son appareil numérique, puis du Polaroïd.

— Non, répondit-il. Certains ont vécu toute leur vie avec leurs problèmes. Mais chaque année aussi, des bébés naissent avec des difformités nécessitant une intervention chirurgicale. Je ne veux pas être celui qui décide quel bébé doit vivre encore une année avec un palais fendu. Nous devons adopter un système absolument équitable. Je n'ai pas le temps d'en prendre plus d'une centaine.

— Une centaine d'*opérations* ?

Ils allaient réaliser une centaine d'interventions pendant leur court séjour ? Cela semblait impossible à Kendal qui effectua un rapide calcul. En prévoyant au moins deux jours de suivi pour les derniers patients, cela signifiait sept ou huit opérations par jour. Un programme inhumain, même pour un homme comme Jason Bridges.

Mais cela ne semblait pas lui faire peur.

— Je peux en effectuer une centaine s'il n'y a pas de complications. Et nous devons tenir compte d'un suivi postopératoire adéquat. Les patients restent environ quarante-huit heures à l'hôtel, où leurs familles et les *curanderas* prennent soin d'eux.

A Integris, Jason avait la réputation d'être très pointilleux sur le suivi postopératoire.

— Les médecins locaux ne peuvent-ils pas vous aider ?

Il eut un ricanement cynique.

— *Quels* médecins ? La plupart de ces gens ne sont jamais allés chez le médecin. Le sorcier maya de la jungle est bon dans sa partie, mais ce n'est qu'un homme, et il n'a aucune formation chirurgicale. Il est seulement herboriste.

— Un sorcier ! s'écria Kendal, s'attirant des regards soupçonneux.

Jason se pencha vers elle.

— Attention…, lui souffla-t-il à l'oreille. Certains parlent un peu l'anglais. Et ces gens se méfient des *gringas* inconnues.

Kendal s'efforça d'adopter une expression impassible, mais les pensées tourbillonnaient dans sa tête.

Ils allaient effectuer une centaine d'interventions chirurgicales en un peu plus de deux semaines avant de repartir, laissant les patients post-op aux soins d'un sorcier maya ?

Maintenant, elle commençait à comprendre

pourquoi il y avait ces rangées de lits de camp dans l'hôtel délabré perdu dans la jungle. De son propre aveu, Jason jugeait *risquée* cette façon de pratiquer la médecine. Mais jamais Kendal n'avait imaginé à quel point…

Il parut lire dans ses pensées.

— Je n'ai pas le choix, à moins de m'installer ici définitivement. Et même alors, je manquerais de ressources. Essayez de vous rappeler que ce que nous faisons ici est strictement bénévole, d'accord ?

— Pouvez-vous aider mon fils ?

L'homme qui s'adressait anxieusement à Jason en espagnol tenait un frêle enfant contre sa poitrine, une casquette de base-ball crasseuse dans l'autre main.

— Il veut savoir si vous pouvez aider son fils, traduisit Kendal.

— Répétez littéralement leurs propos, lui conseilla Jason en auscultant délicatement l'enfant avec son stéthoscope. Ça ira plus vite. Car même en étant très efficaces, la soirée sera longue.

Il posa un doigt sur la bouche du bébé, poursuivant son examen avec douceur.

— Ouvre la bouche, petit oiseau, murmura-t-il, le regard plongé dans les grands yeux sombres de l'enfant.

Quand celui-ci téta le doigt en gazouillant, le père sourit.

Jason accordait à chaque patient la même attention compatissante, et Kendal s'efforçait de suivre le rythme rapide de ses questions et de ses instructions.

Elle traduisait tout, simplifiant les mots pour les

malheureux qu'ils tentaient d'aider. Ils se succédèrent sans interruption sous le petit auvent pendant les deux heures qui suivirent, bouleversant la jeune femme avec leurs yeux graves remplis d'espoir, leurs sourires timides, leur déférence polie et toujours, toujours, la même humble prière : « *El Medico, puede ayudarme ?* » Docteur, vous pouvez m'aider ?

Il fut toutefois forcé d'éliminer plusieurs candidats à l'opération pour cause d'infection, de parasites ou d'anémie.

— L'année prochaine, l'année prochaine, leur dit-il à regret et, tout en traduisant, Kendal comprit sa frustration de ne pouvoir les guérir tous.

Les heures s'écoulèrent. A la tombée de la nuit, une grande partie de ceux qui attendaient alla s'asseoir contre les bâtiments qui entouraient la place. Les jambes étendues sur le trottoir sale, ils commencèrent à somnoler. Patientant toujours.

Enfin, le dernier numéro fut tiré.

— *Treinta !* annonça Angelica d'une voix forte.

Un vieillard ôta son vieux chapeau de paille, son visage mutilé frappé de stupeur.

— *Treinta,* répéta-t-il, hébété.

— Apportez-moi votre ticket, monsieur Alvarez, dit Angelica en lui faisant signe de la rejoindre, apparemment ravie de la chance du vieil homme.

Il avança cahin-caha vers l'estrade, au rythme que lui permettaient ses jambes arthritiques, tandis que ses voisins le regardaient en souriant.

Mais il s'arrêta à mi-chemin et se tourna vers une jeune femme qui sanglotait bruyamment. Son mari s'efforçait de la calmer, un bras glissé autour de ses minces épaules, tandis qu'elle serrait un bébé en pleurs contre sa poitrine.

Sur la place, tout le monde fixait le jeune couple, y compris ceux qui étaient aussi déçus de ne pas faire partie des heureux élus.

— Que dit-elle ? demanda Jason qui ne comprenait pas bien le dialecte parlé par la jeune femme.

— Elle craint que son bébé meure s'il ne voit pas un médecin, traduisit Kendal. Apparemment, il ne se nourrit pas bien et ne prend pas de poids. Son mari essaie de la consoler en lui disant qu'ils reviendront l'an prochain.

Elle jeta à Jason un regard horrifié.

— Vous croyez qu'il peut vraiment mourir ?

— Ce genre de chose n'arrive que trop souvent ici.

— Il faut faire quelque chose !

— Apportez-moi l'enfant ! cria Jason dans un espagnol au fort accent anglais.

Comme les gens le fixaient sans comprendre, il se tourna vers Kendal.

— Dites-leur de m'apporter le bébé, je vous prie.

Elle réitéra sa requête en espagnol, et Angelica s'interposa.

— Vous ne pouvez pas en prendre un de plus ! protesta-t-elle. Tout le monde l'apprendra et nous serons débordés !

Entre-temps, le vieil homme s'était approché du couple, son chapeau de paille à la main. La foule fit silence en le voyant tendre au père du bébé le ticket portant le dernier numéro si convoité.

L'homme prit le bout de papier, les larmes aux yeux.

— *Muchas, muchas gracias, amigo.*

La mère, qui s'était calmée pendant cet échange, fondit de nouveau en larmes, et elle embrassa le vieillard sur la joue.

Pendant que se jouait ce drame, Jason observait Kendal. Il n'avait pas manqué une occasion de l'étudier. Si à Integris elle lui avait rappelé une jolie fleur de serre, il s'avérait évident qu'elle avait du cran.

Pendant cette interminable soirée, malgré la chaleur et la fatigue, elle était restée à son côté. Le front en sueur, les joues écarlates, ses cheveux humides frisottant autour de son visage, jamais elle ne lui avait paru plus belle.

— Vous avez vu ça ? commenta-t-elle en se tournant vers lui, les yeux brouillés de larmes.

— Dites-leur de m'amener l'enfant, ordonna-t-il d'un ton bourru.

Il soignerait quand même M. Alvarez. Un vieillard qui renonçait à ce qui était peut-être sa seule chance de se faire opérer pour aider un enfant méritait les meilleurs soins.

Il ne lui en coûterait qu'un peu de sommeil et quelques récriminations d'Angelica, mais Jason en avait vu d'autres.

Ses yeux restèrent fixés sur les lèvres de Kendal tandis qu'elle transmettait, haussée sur la pointe des pieds, les instructions aux jeunes parents. Pour quelque mystérieuse raison, sa bouche semblait encore plus douce quand elle parlait espagnol.

Elle s'assit et maintint le bébé hurlant pendant qu'il l'examinait. Elle parlait doucement à l'enfant, et en l'entendant murmurer, Jason n'avait qu'une envie : l'embrasser à perdre haleine.

Pour l'heure, ses lèvres pâles semblaient desséchées par la soif, mais cela n'enlevait rien à l'attirance qu'elle exerçait sur lui. Une ou deux fois, il l'avait vue les oindre avec une crème sortie d'un tube, et il se demanda quel goût avait sa bouche. De fraise ? De cerise ?

Il se força à se ressaisir et se concentra sur son examen. Un autre palais fendu, certainement le plus grave qu'il ait jamais vu.

— Ce sera le dernier patient, déclara Angelica à la foule.

— Dites-leur que nous finirons les vaccinations après le dîner. Et prévenez ceux qui ont été sélectionnés pour être opérés qu'ils doivent revenir ici dans une heure pour les instructions pré-opératoires, dit Jason.

Angelica s'adressa à la foule en espagnol et, agitant les bras, elle leur ordonna de se disperser.

— Vous avez besoin d'une pause ? demanda Jason comme Kendal rendait le bébé hurleur à sa mère.

— J'ai un peu soif, avoua-t-elle en essuyant son front moite.

Ses doigts glissèrent vers l'échancrure de son corsage et s'immobilisèrent soudain. Ah, elle était aussi troublée par lui qu'il l'était par elle, songea-t-il non sans une certaine satisfaction.

La présence sensuelle de Kendal Collins allait décidément donner du piment à ce séjour.

Il sourit.

— Nous pouvons aller à l'hôtel. Ils ont des bouteilles de Coca, dit-il en désignant l'édifice croulant juste derrière lui.

— Mais ces gens attendent vos instructions…

— Sans pause, Kendal, vous ne tiendrez pas trois jours. Dites-leur que le médecin sera de retour après le dîner.

S'étant rapidement habituée à s'adresser à la foule, elle relaya le message de Jason. Ceux qui faisaient la queue devant l'auvent ne bougèrent pas, silencieux, en rang bien ordonné. Certains s'assirent par terre, là où ils se trouvaient.

Elle se tourna vers Jason.

— Ils vont attendre comme ça ?

— Je le crains, répondit Jason en lui prenant le bras pour l'entraîner dans le hall sombre et frais du vieil hôtel miteux. On est au Mexique, ma jolie. Le temps n'a aucune signification ici.

Il fit signe à un jeune Mexicain qui bayait aux corneilles dans l'entrée et celui-ci arriva en courant.

— *Dos cervezas, por favor,* dit-il en glissant une poignée de pesos dans la main tendue du garçon.

Le jeune homme sourit en voyant la somme généreuse.

— *Gracias,* dit-il en se précipitant chercher la commande.

— Vous lui avez demandé des bières, pas des Coca, remarqua Kendal comme il lui prenait la main pour la conduire à une petite table en fer forgé dans un petit patio ombragé.

— On ne risque pas d'ennuis intestinaux avec la bière non plus, répliqua-t-il en haussant les épaules, vaguement conscient qu'il aimait sentir sa petite main dans la sienne. Asseyons-nous ici.

Il lui présenta galamment une chaise, puis il se rappela qu'il oubliait quelque chose.

— Les toilettes sont par là, précisa-t-il.

Comme il lui reprenait la main, elle la retira.

— Je vois..., dit-elle.

Ah. Elle avait encore de l'énergie.

Il se dirigea vers les cabinets et lui fit signe de le suivre.

7.

— Ce ne sont pas les embarras intestinaux qui me gênent, remarqua-t-elle en lui emboîtant le pas, un peu agacée de devoir suivre l'arrogant médecin. Nous devons encore faire signer les feuilles de consentement aux patients, et il faut garder l'esprit clair.

Elle imagina les tâches qui les attendaient encore ce soir : Jason expliquant le protocole à chacun, elle-même traduisant. Les patients effrayés, confus, et leurs familles voulant comprendre en quoi consistait l'opération, les risques encourus, l'échec toujours possible.

La plupart de ces gens étaient illettrés, et les instructions orales seraient délicates. Ils ne devaient rien oublier.

— Ça peut prendre toute la nuit.

— Oui. Je suppose que vous êtes coincée avec moi jusqu'au coucher, commenta-t-il en souriant, comme si l'idée lui plaisait. Ecoutez, reprit-il plus sérieusement comme elle ne se déridait pas, je peux donner des instructions pré-opératoires dans mon sommeil. Ne me dites pas qu'une bière mexicaine va vous empêcher de parler à ces gens ?

— Bien sûr que non. Je pense néanmoins que nous ne devrions pas boire alors que nous devons travailler.

— Ma jolie, je n'arrête pas de vous le répéter : nous sommes au Mexique. Ici, nous serons de service vingt-quatre heures sur vingt-quatre, sept jours sur sept. La bière est peut-être le seul agrément que cet enfer a à offrir, et je vous conseille d'en profiter.

— Cessez de m'appeler ainsi.

Il se retourna.

— Que je cesse de vous appeler comment ? s'enquit-il, l'air innocent.

Jason savait de quoi il retournait et il le reconnaissait volontiers : c'était souvent la façon dont il commençait avec les femmes, les appelant « ma jolie » ou « ma belle », ce qu'elles étaient presque toujours à ses yeux. Il adorait les femmes. Un peu trop pour son bien peut-être. Il aimait leur odeur, leur façon de humer leur poignet après y avoir posé une goutte d'eau de toilette avant de vous le mettre sous le nez pour vous le faire sentir. Il aimait leurs voix, et cette habitude qu'elles avaient de parler pendant des heures au téléphone pour ne rien dire. Il aimait le parfum de leurs cheveux, leur texture sous ses doigts. Et cette fille avait la chevelure la plus brillante, la plus luxuriante, la plus noire qu'il ait jamais vue. Hallucinante.

Il brûlait d'y enfouir ses mains. De lui tenir la tête pendant qu'il…

— Ma jolie…, dit-elle d'un ton acide, interrompant le cours de ses pensées. Ne m'appelez plus « ma jolie ».

Kendal avait remarqué une petite lueur particulière dans les yeux de Jason Bridges, qui traduisait sans erreur possible son désir de jouer avec elle, de montrer qu'il ne craignait pas de franchir certaines limites.

Un an plus tôt, elle aurait peut-être accepté de flirter avec le beau médecin. Plus maintenant. Son expérience avec Phillip lui avait laissé des cicatrices, et les belles paroles de séduction ne l'impressionnaient plus.

Mais alors qu'elle était là, regardant le dos de Jason Bridges, elle se dit qu'elle était déjà entrée dans son petit jeu.

— Je ne suis pas « votre jolie ».

— Laissez-moi en juger.

Elle ne répondit pas. Ils étaient arrivés devant les toilettes matérialisées par deux portes dont l'une, marquée *Damas*, était grande ouverte et laissait échapper une odeur pestilentielle.

Horrifiée par l'état des lieux, Kendal en oublia leur petite joute. Des toilettes, *ça ?*

Jetant un coup d'œil dans celles des femmes, elle vit un cancrelat se promener nonchalamment sur le carrelage humide et détourna les yeux avec dégoût.

— Les cafards sont comestibles, vous savez, observa Jason, narquois avant de s'incliner devant elle. Votre trône vous attend, *ma jolie,* ajouta-t-il.

Levant le menton, elle pénétra dans la pièce et lui claqua la porte au nez.

Mais quand elle voulut se laver les mains un peu plus tard, elle s'aperçut qu'il n'y avait ni savon ni serviettes en papier, et elle se contenta de les rincer sous l'eau froide, veillant à ne toucher le robinet que du bout des doigts.

Lorsqu'elle sortit en s'essuyant les mains sur son short, Jason l'attendait, négligemment appuyé au mur de stuc du couloir.

— Tenez, dit-il en lui tendant un petit flacon de nettoyant antiseptique.

Bien sûr. Il était médecin, et même chirurgien. Plus que quiconque, il était concerné par l'asepsie.

— Merci.

Elle tendit ses paumes et il y versa une bonne giclée de produit. Se frottant les mains, elle lui emboîta le pas pour regagner leur table.

Dès qu'ils furent assis, le garçon arriva avec deux bouteilles de bière fraîche.

— *Solo agua,* dit Kendal. Juste de l'eau.

Elle doutait cependant que sa soif fût étanchée par de l'eau tiède, et cette bière glacée lui faisait terriblement envie.

— Ne soyez pas ridicule, commenta Jason en posant une bouteille devant elle avant de porter l'autre à ses lèvres pour boire goulûment. D'abord, ce gamin va vous la servir dans un verre sale et l'eau du robinet va vous rendre malade, et ensuite, nous n'allons découper personne ce soir. Savourez donc cette bière pendant que c'est encore possible. Demain, aux aurores, l'infernale semaine commence.

Le jeune serveur adressa un grand sourire à Jason en revenant avec un verre douteux rempli d'eau trouble. Il posa aussi des tranches de citron vert et une salière sur la table. Avec un sourire résigné, Jason sortit quelques pesos supplémentaires.

Contemplant la bouteille couverte de buée glacée, Kendal en eut l'eau à la bouche. Pendant le chaud après-midi, elle avait bu plusieurs bouteilles de l'eau purifiée tiède et insipide qu'ils avaient apportée, et la bière la tentait vraiment beaucoup.

Le garçon apporta bientôt un panier de *tortilla chips* et un petit bol de *salsa*, le même sourire plein d'espoir aux lèvres. Jason le remercia avec une nouvelle poignée de pesos.

— Alors, vous êtes heureuse d'être célibataire ? remarqua-t-il quand il se fut éloigné.

— Absolument.

Elle prit une chip et la trempa dans la sauce piquante avant de la mettre dans sa bouche. Délicieux.

— Vous semblez bien sûre de vous.

— Je le suis, dit-elle avant de prendre une longue gorgée de bière pour apaiser le feu de la sauce. J'ai eu un petit ami. Ça n'a pas marché.

— Que s'est-il passé ?

— Ça n'a pas marché, voilà tout, répéta Kendal, habituée à fournir la même explication depuis un an.

— Je regrette.

— Pas moi, sinon d'avoir gâché cinq ans de ma vie avec ce cher vieux Phillip.

— Phillip... Au moins, vous ne l'avez pas épousé.

— Vous pensez que c'est important ?

— Certainement. Ça s'appelle l'engagement. Ça compte.

Elle ne put s'empêcher de se demander comment, à trente ans passés, cet homme superbe avait pu échapper au mariage.

— Vous n'avez jamais été marié ?

— Non, répondit-il en dégustant sa bière.

Au loin, on entendait la voix assourdie d'Angelica qui hurlait ses instructions à l'adresse de la foule.

— Buvez votre bière. Il va falloir retourner là-bas.

— Vous connaissiez ce vieil homme ? demanda-t-elle en portant délicatement sa bouteille à ses lèvres.

— Oui. J'ai remarqué ce vieux monsieur à chacun de mes voyages.

— Vous voulez dire qu'il a déjà participé au tirage au sort ? demanda-t-elle, incrédule.

Jason veilla à demeurer impassible. Il savait qu'il pouvait passer pour cynique. Il détestait priver Kendal de ses illusions, mais elle craquerait avant deux jours si elle ne s'endurcissait pas un peu.

— Vous êtes en train de me dire qu'il est déjà venu ? insista-t-elle.

— Chaque année depuis qu'il a été blessé. Un des sbires de Varajas lui a tailladé le visage pour avoir aidé un *zapatista* à lui échapper.

Il prit sa bouteille tout en cherchant comment changer de sujet. Il ne pouvait pas les sauver tous. Malgré tout son désir, il ne pouvait pas. Et quand Kendal Collins le regardait comme ça, avec ses grands yeux épuisés, il s'en voulait encore plus de son impuissance.

— Finissez votre bière.

— Ils reviennent, n'est-ce pas ? Ceux qui sont éliminés reviennent chaque année ?

— Oui.

— Et c'est la première fois que le numéro de M. Alvarez est tiré.

Il hocha la tête, priant pour qu'elle arrête.

— Et il a donné son numéro gagnant à ce petit bébé ? murmura-t-elle d'une voix assourdie par l'émotion.

— M. Alvarez connaît les règles.

Il but une grande gorgée de bière pour se donner du courage. Il devait lui faire comprendre. Lui montrer qu'il n'était pas un monstre au cœur sec qui repoussait les pauvres vieillards n'aspirant qu'à avoir un visage normal. Mais il n'était pas non plus un super-héros.

— Ecoutez… José sait aussi qu'en même temps que l'opération, cette petite fille aura ses vaccins et tous les soins dont elle aura besoin. Ils ont de gros problèmes avec la poliomyélite ici, vous savez.

— Seigneur…, soupira Kendal, au bord des larmes.

Jason dut détourner le regard pour ne plus voir ses émouvants yeux verts. Sa réaction le touchait profondément, et il avait envie de la prendre dans ses bras.

Il y avait longtemps qu'il n'avait pas communié ainsi dans l'émotion avec quelqu'un, et cela l'effrayait. Il avait commis une grave erreur en amenant cette fille.

Car ici, et malgré ses efforts, son cœur était vulnérable, sans protection.

Parce qu'il s'y produisait des miracles. Le genre de miracles auxquels Jason Bridges avait aspiré toute sa vie, depuis la mort d'Amy. Il venait au Mexique chaque année, en quête de ces prodiges. Chercher une certaine magie, quelque mystérieux trésor caché dans ces montagnes, parmi ces gens modestes. Et il ne pouvait pas renoncer tant qu'il ne l'avait pas trouvé.

Il y avait quelque chose de merveilleux dans le geste de ce vieillard s'effaçant devant cette enfant. Voilà le genre de miracle qui se produisait presque chaque jour dans ce petit coin retiré du monde.

Il n'aurait pas dû amener Kendal Collins ici. Avec Ruth, il n'y avait pas de problème. Bien qu'elle fût une femme très attirante, il s'était toujours senti en sécurité avec elle, lors de leurs séjours au Chiapas. Il n'y avait rien de trouble entre eux. Juste de l'amitié.

A Integris, dans l'exercice de leur métier, elle s'était si souvent frottée à lui au bloc opératoire qu'il était devenu insensible au désir qu'elle avait pu éveiller en lui. Il n'avait simplement plus la moindre réaction physique à son égard.

Il pouvait amener Ruth au Mexique en toute sécurité. Elle était blasée, rompue à la bataille. Comme lui, elle pouvait voir la souffrance brute et continuer d'avancer, comme ils le faisaient aux Etats-Unis. Pas de problème.

Même chose avec Angelica. Elle aboyait ses ordres. Elle jurait comme un charretier. Et elle soignait ces gens avec le cœur d'une lionne.

Quant à Mère Martinez, elle lui faisait penser à un gros nounours douillet et rassurant. Passant son temps à étreindre ces pauvres gens, à prier pour eux, à les réconforter. Tenant à ses fameuses règles, même par cinquante degrés à l'ombre. Il sourit en se rappelant le jour où elle avait distribué des échantillons de déodorant aux indigènes.

Et Ben. Ben, que sa spiritualité illuminait de l'intérieur, et qui témoignait envers Jason d'une loyauté indéfectible.

Tous les cinq avaient passé chaque dure journée au Mexique comme si c'était la dernière. Travaillant comme des forcenés, buvant, fumant et jurant pour que Martinez et Ben aient le plaisir de les réprimander. Passant des moments magiques à sauver des malheureux dans le besoin. Ruth, Angelica, Martinez et Ben étaient devenus ses compagnons de lutte dans la guerre qu'ils menaient contre la pauvreté et la maladie.

Mais Kendal Collins était différente. Elle n'était pas aguerrie. Voir ces malheureux à travers son regard trop tendre était dangereux. *Elle* était dangereuse. Elle lui rappelait pourquoi il avait choisi cette mission voilà des années. Elle touchait son cœur d'une façon entièrement nouvelle.

Et, pour couronner le tout, il la désirait comme un fou.

Une combinaison extrêmement périlleuse.

Il n'avait qu'à la séduire et en finir une bonne fois. Comme toujours, il se dit qu'il ne pouvait pas se permettre de s'impliquer affectivement avec une femme.

Il ne se donnait jamais la peine de creuser un peu et de se demander *pourquoi*, il se contentait de suivre les avertissements que lui dictait son instinct.

Mais, soudain, en plongeant son regard dans les yeux pleins de compassion de Kendal Collins, il lui vint à l'esprit qu'avec elle, il pouvait se perdre. Irrémédiablement.

— Finissez votre bière, répéta-t-il.

Kendal avala une grande gorgée. La mine rebelle, elle ouvrit la bouche pour protester, mais il la coupa.

— C'est comme ça que ça marche ici. Ecoutez, ma jolie…

Elle pinça ses belles lèvres sensuelles.

— Ne…

— Ne me dites pas de ne pas vous appeler ainsi, interrompit-il. Vous *êtes* jolie, et vous le savez.

Ils retournèrent au travail, se sentant quelque peu rafraîchis. Des centaines de personnes étaient restées sur la place pour faire vacciner gratuitement leurs enfants contre la poliomyélite, la diphtérie et le tétanos, et la file d'attente semblait s'étirer à l'infini.

Ruth et Angelica étaient allées manger quelque chose et étaient de retour sous l'auvent. Près d'elles, une grande bassine se remplissait déjà de seringues usagées.

Comme Jason ne pratiquait plus d'examen et n'avait plus besoin d'interprète, il se lança avec Kendal dans les vaccinations pour que les enfants fatigués puissent rentrer chez eux.

Ruth apprit rapidement à Kendal comment préparer une injection, et quand le pouce de Kendal commença à lui faire mal à force d'actionner le piston des seringues, Ruth lui montra comment faire une piqûre et prit sa place.

— Vous êtes sûrs que ça va ? demanda nerveusement Kendal, hésitant encore à piquer un brave petit garçon. Je n'ai même pas mon brevet de secouriste…

— On est au Chiapas, ma jolie, lui rappela Jason en enfonçant son aiguille dans la cuisse potelée d'un bébé. Courage… Nous avons encore à faire les instructions pré-opératoires.

Au fil des longues heures passées d'abord à vacciner les enfants, puis à expliquer le protocole aux futurs opérés, Jason et Kendal établirent une harmonieuse relation de travail. Il parlait en anglais. Elle répétait ses paroles en espagnol. Voix masculine. Voix féminine. C'était comme si les instructions de Jason traversaient Kendal pour être diffusées avec douceur aux personnes qui attendaient de défiler sous l'auvent.

Jason taquinait gentiment les indigènes. Il surnommait les petites filles *estrellas*, ses étoiles, et appelait chaque garçonnet *mano,* son « pote ». Il tentait parfois de s'adresser directement à un enfant en espagnol, mais c'était si incompréhensible que le gamin se tordait de rire sur ses genoux.

— Quoi ? s'écria-t-il un moment donné, feignant l'innocence.

— Vous lui avez dit que vous aviez une surprise dans votre sac à main, lui expliqua Kendal avec un sourire bienveillant. *Bolso* veut dire sac, *bolsillo* signifie poche.

— Peu importe, commenta Jason en chatouillant l'enfant. Dites à ce petit coquin de prendre un bonbon dans ma poche, et qu'il ressemblera à un prince quand j'en aurai fini avec lui.

Kendal traduisit. Le garçonnet glissa sa menotte dans la poche de Jason pour prendre la friandise, et Jason le rendit à sa mère avec une petite tape sur les fesses.

Il ne craignait pas, remarqua-t-elle, de toucher ces gens. Il serrait les bébés dans ses bras, tapotait l'épaule des mères angoissées, échangeait des poignées de main viriles avec les hommes.

Son énergie semblait inépuisable. Et elle en conçut pour lui une grande admiration mêlée de respect.

Tard dans la soirée, la camionnette ramena l'équipe au campement médical de fortune au milieu de la jungle. Munies de lampes torches, les trois femmes épuisées s'engagèrent péniblement dans le sentier menant à l'hôtel décrépit où elles partageraient une suite.

— Où est Jason ? demanda Kendal, rompant le silence.

— Il couche sous la tente, expliqua Ruth.

— Celle où j'ai dormi ?

— Oui. Il préfère ça. Les bruits de la jungle le bercent, et il trouve l'hôtel trop miteux.

— Je vois.

Kendal était un peu déçue que Jason s'isole ainsi. Sans doute parce qu'elle s'était habituée à sa présence constante en travaillant à ses côtés durant l'après-midi et la soirée.

— Nous serons parfaitement en sécurité, reprit Ruth. Saint Ben couche aussi à l'hôtel.

Elle désigna de la tête une ombre qui les suivait dans l'obscurité.

Kendal se retourna et vit la silhouette massive de Ben Schulman qui remontait l'étroit sentier, aussi puissant et silencieux qu'un jaguar.

Le lendemain matin, comme l'avait prédit Jason, l'infernale semaine commença pour de bon. Ben réveilla les trois jeunes femmes avant l'aube en frappant doucement à leur porte.

— Allez-vous-en ! gémit Angelica.

— Quelle heure est-il ? murmura Kendal dans un bâillement, notant vaguement qu'il faisait encore nuit noire.

— 5 heures, répondit la voix de Ruth dans l’obscurité.

— 5 heures du *matin* ?

— Oui. Les opérations commencent dès le lever du soleil.

— Nous allons nous lever aussi tôt tous les jours ? demanda Kendal en étirant ses muscles douloureux.

— Tous les jours, répliqua Angelica.

Celle-ci alluma le plafonnier. Eblouie, Kendal s’assit et regarda Ruth sauter du lit opposé.

— Je sais ce qui a motivé ma venue ici, mais pourquoi diable vous imposez-vous ça ? demanda Kendal.

— Elle a un faible pour Jason, dit Angelica qui enfilait déjà son short.

Ruth lui adressa une grimace.

— Il y a longtemps que j’ai renoncé à Jason Bridges. Aucune femme n’arrivera jamais à mettre la corde au cou du Loup, et je plains sincèrement la malheureuse qui essaiera.

Angelica approuva d’un soupir.

— Jason et moi sommes juste amis, Kendal, et j’aime ce travail autant que lui, expliqua Ruth. Vous vous adapterez.

— Allons, les pressa Angelica, habillez-vous.

— Inutile de vous doucher, conseilla Ruth pendant qu’elles cherchaient leurs vêtements. Gardez ça pour ce soir, après avoir transpiré toute la journée. Et n’oubliez pas de natter vos cheveux.

Kendal enfila un short large qui lui arrivait aux

genoux, un T-shirt léger et une paire de tennis. Puis elle procéda à des ablutions sommaires devant le minuscule lavabo de la salle de bains à la propreté douteuse avant de brosser son épaisse chevelure qu'elle tressa en nattes. Enfin, elle descendit le large escalier de pierre pour gagner la salle à manger.

Le petit déjeuner se révéla très correct. Contre toute attente, le café instantané dilué par Viljo dans l'eau chaude d'une vieille bouilloire avait bon goût.

Toutefois, Kendal s'attendait à boire de l'excellent café dans cette région qui en produisait, mais elle se garda de tout commentaire. Elle en but deux tasses pendant que le patron leur apportait des verres de jus de carotte tiède, un plat d'œufs brouillés et une montagne de *tortillas* de maïs toutes chaudes.

Tête baissée, Ben récita le bénédicité, puis tout le monde mangea en silence, comme pour garder son énergie avant d'affronter la chaleur et les lourdes tâches qui les attendaient.

Une pâle lumière grise enveloppait la jungle quand ils quittèrent l'hôtel. Sous la véranda, Angelica arrêta ses compagnons pour leur vaporiser les bras et les jambes du nauséabond répulsif à insectes.

Intérieurement, Kendal se demanda s'il ne valait pas mieux se faire piquer par les moustiques plutôt que d'endurer ça.

— De toute façon, ce sera parti d'ici une heure avec la sueur, commenta Ruth en surprenant sa mimique dégoûtée.

Jason les attendait dans la bâtisse insalubre pompeusement baptisée « pavillon de chirurgie ». Il avait l'air reposé. Non rasé, mais lavé et très beau. Ils le trouvèrent en train de se désinfecter les mains à l'alcool au-dessus d'une bassine.

Ruth avait d'ailleurs prévenu Kendal : ils allaient passer la journée à enlever leurs gants et plonger les mains dans ces cuvettes d'alcool jusqu'à ce que leur peau soit en feu.

— Bonjour, mesdames, dit-il et, secouant ses mains, il prit un des rouleaux de serviettes en papier qu'ils avaient apportés.

— Bonjour, répondirent-elles en chœur.

La dure journée commençait.

8.

Le premier jour consacré aux opérations parut interminable, les désagréments et les retards se succédant sans relâche pour leur compliquer la tâche.

Et comme si la chaleur, la poussière ne suffisaient pas, ils durent affronter aussi les problèmes techniques.

Les lampes de chirurgie portatives, indispensables même de jour dans le pavillon obscur, commencèrent à clignoter sans raison apparente.

Puis elles s'éteignirent complètement.

— Heureusement que je peux opérer dans le noir, commenta Jason, pince-sans-rire.

Kendal alla chercher des lampes torches pendant que Ben se précipitait dehors pour donner des coups de poing dans le générateur.

Jason travaillait comme une machine bien huilée, sifflait beaucoup, clignait souvent des yeux, et ne perdait jamais son sang-froid, même si Angelica et Kendal passaient leur temps à essuyer son front trempé de sueur.

Il avait expliqué à Kendal comment ils procédaient. Angelica posait les perfusions et endormait les patients.

De part et d'autre de la table d'opération, Jason et Ruth travaillaient en étroite collaboration. Puis dès qu'une intervention était finie, ils se débarrassaient de leurs gants avant de se tourner vers l'autre table tandis que Ben portait chaque enfant inconscient jusqu'à un des lits alignés le long du mur, et des femmes indigènes s'en occupaient, sous la surveillance de Kendal.

Ensuite, la jeune femme s'empressait de préparer la table libérée pour le prochain patient. Elle nettoyait le sang, disposait des instruments stériles et lavait le matériel souillé à l'alcool. Puis elle retournait prendre ses instructions et tout recommençait.

Enfin, la sixième opération de la journée s'acheva.

Les villageois avaient transporté les nouveaux opérés à l'hôtel sur des civières de fortune, Jason et Ruth se lavaient les mains, et Angelica surveillait le réveil du dernier patient.

Se tournant vers Kendal, Jason lui ordonna de faire une pause.

— Vous êtes pâle, remarqua-t-il.

Peut-être, mais elle se sentait très bien. Elle avait les mains à vif, le dos et les pieds affreusement douloureux, et elle n'avait plus de voix, mais jamais elle ne s'était sentie si énergique, si vivante, si utile.

La promotion du Paroveen était le cadet de ses soucis en cette fin de journée. Elle ne pensait qu'à s'occuper de ces enfants.

— Je vais vous donner un coup de main, dit-elle en courant aider Angelica à asseoir une fillette groggy pour lui donner à boire. C'est vous qui avez besoin de repos, Angelica.

— D'accord. Merci. Hé, chef, ajouta la Mexicaine, interpellant Jason, on sort en fumer une ?

— Non, merci, répondit Jason qui était occupé à se sécher les mains avec une serviette en papier. Ruth, remplacez Kendal.

— Oui, chef, répondit Ruth qui alla prendre le gobelet d'eau des mains de Kendal.

Jason saisit le bras de la jeune femme pour l'entraîner dans le coin où étaient entreposés les médicaments. Il la fit asseoir sur un tabouret.

— Nous avons utilisé beaucoup de Paroveen aujourd'hui.

Sa remarque rappela à Kendal le but de son voyage. Ou plutôt ses *obligations.* Car son objectif avait changé pendant la journée, il avait pris un nouveau sens.

— J'ai tout noté, dit-elle. Nous connaîtrons son efficacité dès demain. Ma société sera intéressée par les différentes utilisations que vous avez faites du médicament.

— Je sais. Nous pourrons peut-être collaborer à un article sur le sujet.

Kendal sourit. C'était exactement le genre de relation qu'elle espérait tisser en acceptant de participer à cette mission. Mais, à présent, les patients lui semblaient beaucoup plus importants.

— Je devrais aller aider Ruth…

— Non. Je veux que vous vous reposiez, dit-il en lui effleurant le bras. S'il vous plaît. Je reviens dans un moment.

Il alla aider les hommes à coucher le dernier patient sur un brancard, puis il revint près d'elle.

— C'est terminé pour aujourd'hui. Pouvez-vous m'accompagner une minute ? s'enquit-il en lui prenant la main. Je voudrais vous montrer quelque chose d'extraordinaire.

Ils quittèrent le pavillon pour s'engager dans le sentier menant à l'hôtel. Dans l'entrée sombre et fraîche, il s'adressa à Viljo.

— *Dos cervezas, por favor.*

— C'est ça que vous voulez me montrer ? Des bières ?

Il se contenta de sourire. Quand Viljo revint, il prit les deux bières d'une main, et le coude de Kendal de l'autre pour la guider à l'extérieur.

Dans le jardin envahi par les herbes folles, il se dirigea vers une table en fer forgé rouillée.

— Asseyez-vous et levez les yeux, ordonna-t-il.

Au-dessus de leurs têtes, les rayons dorés du couchant découpaient en ombres chinoises de gigantesques palmiers. Les murs de pierre du vieil hôtel semblaient éclairés de l'intérieur par les reflets du soleil et les grands arbres, les fleurs odorantes, les buissons luxuriants résonnaient du chant des oiseaux.

— Comme c'est beau, souffla Kendal.

Hochant la tête, il leva sa bouteille.

— C'est un de mes endroits préférés.

Assis à la table bancale dans le jardin éclaboussé de soleil, ils dégustèrent leurs bières, savourant en silence la beauté qui les entourait.

— Une journée hallucinante, commenta Kendal au bout d'un moment.

— Mmm.

— C'est comme ça chaque année ?

— Mmm.

— Pourquoi faites-vous ça ?

— Vous ne le savez pas ?

— Si, je suppose que si…

Elle avait trouvé ce travail terriblement exaltant, mais elle se demandait pourquoi un beau et brillant chirurgien s'investissait chaque année dans cette dure expédition.

— Je n'arrive pas à vous cerner, ajouta-t-elle.

— Que voulez-vous dire ?

— Aux Etats-Unis, vous avez plutôt une réputation de mauvais garçon.

Il eut un reniflement de mépris.

— Pourquoi faut-il que tout homme qui n'est pas marié, père de trois enfants et propriétaire d'un minivan soit forcément gay ou mauvais garçon ?

— Alors vous n'êtes ni l'un ni l'autre ?

— J'imagine que je suis comme vous, ma belle. Je n'ai pas trouvé la perle rare.

— Je crois que ce n'est pas tout. D'après la rumeur, vous avez connu beaucoup de femmes.

Il haussa les sourcils d'un air moqueur.

— Vous ne faites pas partie de ces psychologues à quatre sous, j'espère ? Il se trouve que j'aime les femmes. Et je traite très bien celles avec qui je sors car je n'ai jamais eu de plaintes.

Il porta sa bière à ses lèvres, puis pointa la bouteille vers elle.

— Et ne me faites pas une leçon sur les précautions à prendre, d'accord ? Je suis médecin, je vous le rappelle. Je suis parfaitement capable de veiller sur ma santé et celle de mes conquêtes, et de les rendre heureuses.

Kendal en doutait. Non de l'aspect sanitaire, évidemment. Jason semblait posséder un bon instinct de conservation. Mais rendre ces femmes heureuses ? Heureuses de se lier au Loup pour être ensuite jetées comme de vieux Kleenex ? Franchement, elle en doutait.

— Qu'est-ce qui vous a incité à venir ici la première fois ?

— Une fille.

— Ah…

— Cette fois, je me suis vraiment cru amoureux, reprit-il. Beth était médecin. Elle m'a convaincu de venir ici avec elle et une équipe de Médecins sans frontières ma première année d'école de médecine.

— Vous l'avez connue à l'école de médecine ?

Il acquiesça et dégusta sa bière sans la quitter des yeux. Il donnait l'impression de ne pas attacher d'importance à ses révélations, mais elle soupçonnait sa réaction de compter pour lui.

— Que s'est-il passé ?

— Pendant ce voyage ?

Elle hocha la tête.

— J'ai découvert qu'il y avait ici quelque chose de… magique. Je ne peux pas vraiment vous expliquer…

Ça me recentre, en quelque sorte. Ça donne un sens à ce que je fais le reste de l'année.

Pourquoi ce qu'il faisait le reste du temps n'aurait-il pas de sens ? Il était superbe, intelligent, il avait brillamment réussi, avec une clinique prospère que bien des chirurgiens lui enviaient.

Et, cependant, elle devinait effectivement qu'il y avait dans la vie de Jason Bridges quelque chose de déglingué, de décentré. Pourquoi ?

— Qu'est-il arrivé à votre relation ? demanda-t-elle.

L'échec de cette liaison expliquait-il sa réputation de séducteur, son détachement envers les femmes ? Un grand amour qui aurait mal tourné ? Ça arrivait parfois. Souvent, même.

— Vous avez rompu pendant votre séjour ici ?

— Non. Nous nous sommes éloignés peu à peu l'un de l'autre. C'était juste une autre de ces romances torrides qui s'étouffent à petit feu. Nous n'étions même pas fiancés. Nous ne nous *adorions* pas, si vous voyez ce que je veux dire. Et pour être franc, Beth ne m'a pas manqué autant que j'aurais cru après notre rupture.

Un lourd silence tomba entre eux. Comme s'il regrettait ses aveux.

Kendal décida de changer de sujet.

— D'où êtes-vous originaire ? s'enquit-elle.

— De Dallas.

— Vos parents y sont encore ?

— Oh, oui, répondit-il avec une amertume inattendue.

Ma mère dans sa belle maison de Turtle Creek, et mon père dans sa belle maison de Highland Park.

— Ils sont divorcés ?

— Depuis mon adolescence.

— Je suis désolée.

— C'est banal. Et cela n'a pas d'importance, dit-il, mais Kendal sentit qu'il en souffrait encore.

— Quel âge avez-vous ? questionna-t-elle.

— Trente et un ans.

Il avait réalisé beaucoup de choses pour un homme aussi jeune, songea Kendal qui avait l'impression de commencer tout juste à vivre.

— Moi aussi, dit-elle. J'ai trente et un ans.

Cette pensée la déprimait complètement. Trente et un ans. Célibataire. Sans enfants. Pas même laissée pour compte puisqu'elle avait été carrément rejetée. Elle décida qu'il valait mieux parler de *lui*.

Vous avez des frères et sœurs ?

— Non, répondit-il.

Puis ce fut comme si son visage se fermait soudain. Il porta sa bouteille à ses lèvres et but longuement.

— Si vous me parliez de vous ? suggéra-t-il.

Il avait complètement retourné la situation. C'était intéressant. Il pensait sans doute en avoir déjà trop dit. Apparemment, aucun des deux n'avait très envie de se livrer.

— Ma vie n'a rien de passionnant.

— Sauf que vous vous remettez d'une liaison qui semble vous avoir meurtrie.

Elle le fixa, interdite.

— Comment le savez-vous ?

— Il en a épousé une autre.

Elle le dévisagea, les yeux écarquillés.

— Phillip en a épousé une autre ? dit-elle, sarcastique. Vous êtes sûr ? Je ne m'en étais pas rendu compte…

Il lui jeta un regard chargé de reproche.

— D'accord, je me suis un peu renseigné sur vous avant de quitter les Etats-Unis. Je voulais m'assurer que vous étiez vraiment disponible.

Cet aveu fit s'accélérer les battements du cœur de Kendal, mais elle s'efforça d'oublier l'intérêt évident qu'il lui portait. Après tout, cet homme n'était pas un cadeau, surtout après le mal que lui avait fait Phillip.

— Phillip et moi étions engagés l'un envers l'autre et nous nous *adorions*. Nous avons vécu heureux pendant cinq ans.

— Alors, pourquoi a-t-il épousé une autre femme ?

Elle ne répondit pas.

— Désolé. J'imagine que ça ne me concerne pas… En tout cas, ce type était un imbécile.

— Ah oui ?

— Oui ! Regardez-vous ! s'écria-t-il en la détaillant d'un air admiratif.

— Comment avez-vous appris, pour Phillip et moi ? demanda-t-elle, troublée.

— Stephanie Robinson est tout le temps fourrée à la clinique.

— Et elle vous a parlé de *moi* ? s'enquit-elle, incrédule.

— Non. Un jour qu'elle exhibait sa bague de fiançailles en parlant de *son* Phillip, elle a précisé qu'il avait travaillé pour Merrill Jackson. Après son départ, les infirmières m'ont dit que son fiancé avait quitté pour elle la femme avec qui il vivait depuis cinq ans. J'ai fait le recoupement quand vous avez cité le nom de Phillip l'autre soir.

— Je vois, murmura-t-elle.

Le nom de Stephanie Robinson avait littéralement pétrifié Kendal, et en dépit de la chaleur, elle frissonna.

Comme elle demeurait silencieuse, Jason poursuivit :

— Elle ne vous arrive pas à la cheville, vous savez.

Son regard glissa sur elle, caressant, un regard qui en disait long sur le désir que lui inspiraient les femmes, à défaut d'adoration.

Mal à l'aise, elle eut un petit rire moqueur.

— Continuez à me parler comme ça, docteur, et j'accepterai peut-être de boire une autre bière avec vous.

Il recula sa chaise et hurla, tourné vers l'intérieur de l'hôtel :

— Viljo ! *Dos Tecates !*

Kendal étudia sa bouteille presque vide.

— J'en conclus que l'amour est un grand mystère, soupira-t-elle.

— Vous voulez dire la chimie entre les hommes et les femmes ?

— Non, je parle de l'*amour*.

Elle le regarda avec curiosité. Se pouvait-il qu'il fût aussi cynique qu'il en avait l'air ?

— Ecoutez, ce n'est pas parce que Phillip m'a quittée que je ne crois plus au véritable amour, qui est infiniment plus qu'une réaction chimique, comme vous le savez.

— Non, je ne le sais pas. Le courant peut merveilleusement passer entre deux personnes, mais le véritable amour… je ne suis pas sûr d'y croire encore.

— Ce qui signifie que vous y avez cru ?

— Oui. Quand j'étais très, très jeune. Et je n'ai rien éprouvé de tel depuis.

— Etait-ce cette fille de l'école de médecine ?

— Oh non, pas elle. Quand elle est arrivée dans ma vie, j'étais déjà blasé. Perdu…

Il avait adopté un ton railleur, mais Kendal soupçonnait qu'il y avait du vrai dans ce qu'il disait.

— Qu'est-ce qui vous a perdu ? demanda-t-elle doucement.

— N'allez-vous pas discuter ce point ? s'enquit-il, feignant la consternation.

— Non.

Il sourit. Puis son visage devint triste, distant.

— C'est une longue histoire.

— J'ai tout le temps, dit-elle en portant sa bière à ses lèvres.

— Très bien. Croyez-le ou non, mais Le Loup a été amoureux une fois, dit-il en l'observant. Au lycée, il y a longtemps.

— Tout le monde n'est-il pas amoureux au lycée ?

— Pas comme ça, dit-il d'une voix brusquement radoucie, et elle devina qu'il se rappelait un souvenir douloureux. Qu'importe l'âge que nous avions. Je savais que c'était la bonne. Je n'avais même pas envie de regarder une autre fille.

Kendal en resta sans voix. C'était cet homme qu'on surnommait maintenant Le Loup ? Elle le fixa, interdite.

— Nous étions en dernière année de lycée. J'étais bien placé pour jouer en Division 1 dans l'équipe de football de la fac. Et elle était… parfaite, ma petite *pompom girl* blonde…

Kendal ne put s'empêcher de se comparer, elle, une brune pulpeuse, à l'évanescente petite blonde… et la comparaison ne fut pas à son avantage. Elle se réprimanda silencieusement pour sa futilité et se concentra sur le récit de Jason.

— Tout notre avenir était planifié… Je n'arrive pas à croire que je vous raconte ça après toutes ces années. C'est sans doute la bière combinée à la fatigue…

— Que s'est-il passé ?

Il allait lui dire que la petite *pompom girl* blonde l'avait quitté pour épouser quelqu'un d'autre, comme Phillip. Et elle se préparait déjà à compatir quand il murmura :

— Elle est morte.

Elle ne réagit pas, s'efforçant de comprendre ce qu'elle venait d'entendre. Mais c'était parfaitement clair.

Quand elle retrouva sa voix, elle lui parut

méconnaissable : trop solennelle, trop tranquille. Respectueuse.

— C'est affreux. Comment est-ce arrivé ?

A cet instant, Viljo arriva avec deux bières fraîches. Quand il s'éloigna, Jason leva sa bouteille.

— Champagne mexicain…

Elle but une gorgée et attendit qu'il termine son histoire.

— J'ai faim, dit-il. Et vous ?

— Je meurs de faim.

— Viljo ! Trouvez-nous de quoi manger ! La dame a faim !

Kendal lui jeta un regard pensif par-dessus sa bouteille. Elle commençait à comprendre un peu cet homme. Il s'était tant endurci qu'il pouvait évoquer le grand chagrin de sa vie et commander froidement à manger l'instant d'après.

— Je parie que je sais ce qui est arrivé à ce type…, reprit-il.

— Viljo ? questionna-t-elle sans comprendre.

— Non. Le vieux… Philbert, c'est ça ?

Elle ne put s'empêcher de sourire, comme il l'espérait. Elle joua un instant avec sa bouteille en se demandant si elle avait le droit de le ramener à la triste histoire de la *pompom girl* blonde.

Mais, de toute évidence, il préférait s'attarder sur son passé à elle.

— Phillip.

— C'est ça. Vous voulez ma théorie concernant ce cher vieux Phillip ?

— Non.

Il poursuivit comme si de rien n'était.

— Vous lui avez rendu votre relation trop facile. La plupart des types aiment les défis.

— Les défis ? Nous vivions ensemble, bon sang !

— Exactement. Vous lui teniez sa maison et lui organisiez une vie douillette, au point qu'il a oublié pourquoi il était sorti avec vous à l'origine. Vous vouliez qu'il soit le bon, plus que vous ne vouliez être la seule et unique pour lui. C'est le but, ma jolie. Etre le seul et unique pour l'autre, conclut-il en portant sa bouteille à ses lèvres.

Elle dégusta sa bière, songeuse.

Qu'est-ce qui faisait de ce monsieur-je-sais-tout un tel expert ès femmes ?

Puis elle prit conscience qu'il croyait vraiment avoir trouvé la femme de sa vie, et qu'elle était morte. Elle brûlait de lui demander comment. Mais il ne tenait manifestement pas à le lui dire.

— Je croyais que le but était de vivre heureux et d'avoir beaucoup d'enfants, reprit-elle. Vous savez, se marier, acheter une maison, avoir des enfants, prendre sa retraite et mourir.

— Non, trésor, c'est d'être le seul et l'unique de quelqu'un. Vous autres, femmes, vous vous complaisez à créer un monde chimérique au lieu d'une vraie relation. Au lieu de vous demander s'il vous traite comme la seule et unique, vous projetez vos fantasmes sur un pauvre type qui ne s'investit qu'à moitié dans votre relation. C'est comme ça que vous vous brisez le cœur. Ça arrive tout le temps.

Kendal se rendit compte que c'était exactement ce qui s'était produit avec Phillip. Elle allait reconnaître qu'il n'avait pas tort quand elle fut distraite par un bruit étrange. Il semblait venir de la jungle et ressemblait à l'appel d'un animal.

Mais ce n'était pas un animal. Plutôt... un enfant ?

— Les hommes sont différents, reprit Jason qui n'avait manifestement rien entendu. Ils restent détachés jusqu'à ce que quelque chose les force à s'engager. Même s'ils vivent avec vous, ils ne s'impliquent qu'à moitié. La cohabitation conduit toujours à une demi-relation. C'est pourquoi je la refuse.

— Tant mieux pour vous, commenta-t-elle sèchement.

Elle n'appréciait pas qu'il juge ainsi son passé, et au fond d'elle-même — ou était-ce au fond de son cœur ? —, elle pensait qu'il se trompait. Pour elle, la capacité de Jason à garder ses distances dans ses rapports amoureux s'expliquait surtout par la mort de la femme de sa vie.

Le bruit se fit de nouveau entendre, plus proche.

— Vous avez entendu ?

Il tendit l'oreille un instant.

— Des oiseaux, sans doute... Vous pensez probablement que je suis incapable de m'engager, mais au moins, je suis honnête. Cela vaut mieux que mentir aux femmes, m'installer avec elles et leur briser le cœur.

— Car, bien sûr, vous n'avez jamais brisé de cœur ? dit-elle avec ironie.

Il sourit.

— J'ai essayé de ne pas le faire. Et quand je n'ai pu l'éviter, j'ai tenté de me racheter en sauvant notre amitié.

Sa franchise la désarma. Il était extrêmement séduisant et il avait connu beaucoup de femmes. Peut-être pouvait-elle tirer un enseignement de ce qu'il lui racontait.

— Parlez-moi encore des hommes.

— Trop de femmes ne se mettent pas sur un pied d'égalité avec les hommes en laissant la barre très haut. Elles ne protègent pas leur cœur. Il faut toujours garder une petite part de son cœur pour soi.

Elle fronça les sourcils.

— Et ça marche en ce qui vous concerne ? Vous gardez un morceau de votre cœur pour vous ?

— Ça vaut mieux que se le faire hacher menu.

Jason Bridges demeurait un mystère pour Kendal. Il semblait ouvert, compatissant… et passionné. Mais une part de lui restait fermée aux autres. Interdite d'accès.

— J'ai souffert, mais mon cœur n'a pas été « haché menu », comme vous dites, protesta-t-elle.

Elle s'aperçut que c'était vrai. Avec le temps, elle s'était remise de sa rupture avec Phillip.

— J'ai repris le cours de ma vie et je vais bien, merci. Aussi bien que vous, avec votre défilé de conquêtes.

— Nous parlons de vous, pour l'instant. Et j'ai cru comprendre que vous ne sortiez avec personne.

— Seulement parce que je n'ai rencontré personne qui en vaille la peine, riposta-t-elle.

— Pas un seul homme au cours de cette année ?

— Je…

Kendal prit conscience que lui avouer la vérité ferait mauvais effet. Elle ne voulait pas qu'il sache qu'elle s'était repliée dans sa coquille et qu'elle vivait seule, même si c'était par choix.

— Je suis très heureuse en ce moment !

— Je ne vous ai pas demandé si vous étiez heureuse, mais si vous étiez sortie avec un homme depuis un an.

— Cela ne vous regarde p…

Encore ce son étrange venant des arbres. Comme elle tournait la tête, elle eut une sensation bizarre… Celle d'être observée.

— Vous avez entendu ?

— Cette fois oui, dit-il, soucieux.

Comme ils écoutaient, le faible miaulement déchira de nouveau l'air moite de la nuit.

Avec un sursaut, Kendal se rendit compte que le son ressemblait vraiment au vagissement d'un bébé. Mais qu'est-ce qu'un bébé faisait dans la jungle ?

— Vous croyez que c'est un jeune animal ?

Il porta son doigt à ses lèvres et ils tendirent l'oreille pendant quelques secondes.

— Rentrons à l'intérieur, décréta-t-il en lui prenant la main. Il y a pire que des animaux dans la forêt tropicale.

— Mais s'il y a un bébé ou…

Se tournant vers l'endroit d'où venait le bruit, elle

vit une paysanne émerger des arbres touffus, un petit enfant dans les bras. Celui-ci geignait, le visage enfoui dans le cou de sa mère.

— Regardez ! s'écria-t-elle.

Elle voulut aller vers eux, mais Jason l'en empêcha.

— Attention... Demandez-lui si elle est seule, ajouta-t-il comme elle le regardait d'un air interrogateur.

Kendal traduisit.

— *Si,* je suis seule, dit la femme d'une voix effrayée. Et mon enfant a besoin de l'aide d'*El Medico.*

— Elle a besoin de votre aide, expliqua Kendal d'un ton implorant.

— *La comida !*

L'appel venait de Viljo qui se tenait sous l'arcade de l'entrée, deux assiettes fumantes dans les mains.

Faisant alors volte-face, la femme fonça vers la jungle et disparut.

— Oh, non ! protesta Kendal qui fit un pas pour se lancer à sa poursuite, mais fut aussitôt arrêtée par Jason. Elle est partie ! Je me demande ce que peut avoir son bébé !

— Si elle a vraiment besoin de nous, elle reviendra, déclara Jason, la tenant fermement par l'épaule. Nous mangerons à l'intérieur, ajouta-t-il à l'intention de Viljo.

Il franchit la porte voûtée et entraîna la jeune femme dans la salle à manger. Posant leurs assiettes devant eux, Viljo alluma une bougie à la citronnelle pour chasser les moustiques.

— On ne se promène pas dans la jungle la nuit

tombée. Varajas s'est déjà servi de femmes et d'enfants pour piéger des gens.

— Pourquoi voudrait-il nous nuire ?

— Nous ? Pas nous, ma jolie, moi. Je suis le médecin américain qui entend trop de choses, voit trop de choses.

Comme elle le fixait, affolée, il ordonna :

— Mangez.

Il attaqua le contenu de son assiette avec appétit, mais Kendal eut du mal à avaler en pensant à la jeune mère terrorisée et à son enfant.

9.

Après le dîner, ils montèrent à l'étage rendre visite aux opérés de la journée, puis Kendal entra ses notes concernant le Paroveen dans son ordinateur portable.

Assis sur le lit en face d'elle, les jambes croisées, Jason sourit. Cette façon qu'elle avait de coincer son stylo dans son épaisse chevelure était charmante. Il commençait à penser que tout ce qu'elle faisait était fascinant.

— Vous êtes très consciencieuse, mais tous les patients vont bien, remarqua-t-il. Vous travaillez trop.

Elle ne leva même pas les yeux de son écran.

— C'est l'hôpital qui se moque de la charité…

— Vous aimez danser ?

Cette fois, elle le regarda.

— J'adore ça.

— Alors, allons nous amuser un peu. Venez, dit-il en lui prenant la main.

Comme ils traversaient le hall, Jason aperçut Angelica en train de lire, blottie dans un vieux fauteuil de cuir.

— Kendal et moi allons au *El Foco*, lui annonça-t-il en passant. Vous pouvez me joindre sur mon portable.

— Je ne bouge pas d'ici, commenta Angelica en agitant la main dans leur direction. Essayez de ne pas vous faire tuer dans ce tripot.

— Qu'est-ce que c'est que cet endroit, et pourquoi pourrait-on se faire tuer ? demanda Kendal comme ils sortaient dans l'air nocturne chargé d'humidité.

— Ce n'est qu'une charmante petite boîte de nuit. Vous verrez.

Jason emprunta la jeep de Viljo pour parcourir la courte distance à travers la forêt tropicale jusqu'à San Cristobal de las Casas. Il passa rapidement devant la façade aux couleurs vives de la cathédrale, descendit une petite rue encombrée jusqu'à un établissement à l'allure branchée où brillait l'enseigne *El Foco*, Le Projecteur.

Il gara la jeep, sauta sur le trottoir et, contournant le véhicule, il aida Kendal à descendre.

Comme elle frissonnait dans l'air plus frais à cette altitude, il glissa un bras autour de sa taille et, la tenant contre lui, il se dirigea vers la boîte de nuit. Il s'aperçut qu'il prenait plaisir à juste la tenir ainsi. Jamais ce geste anodin ne l'avait rendu aussi heureux.

Devant l'entrée, des clients étaient rassemblés, essentiellement des jeunes hommes qui fumaient et qui considérèrent Kendal d'un œil intéressé.

— Ils nous fouillent à l'entrée, ne vous offusquez pas, la prévint Jason.

Mais Kendal refusa d'avancer.

— Qu'a voulu dire Angelica quand elle nous a dit de ne pas nous faire tuer dans ce tripot ?

— Elle peut être hystérique parfois.

— Et d'abord, pourquoi fouillent-ils les gens ?

— C'est comme ça. Surtout avec une jolie *chica*. Ne vous inquiétez pas. Je serai juste derrière vous, et le type n'aura qu'à bien se tenir. Venez. C'est un endroit super.

Elle lui repoussa la main.

— Pourquoi ? hurla-t-elle pour couvrir le bruit de la musique. Pourquoi cette fouille ?

— Ils ont eu des problèmes, mais comme presque tout le monde ici. Restez près de moi et tout ira bien, répondit-il en contenant son impatience. Les *Americanos* sont en sécurité dans cette boîte. Du moment que nous ne sommes pas trop soûls et que nous ne dansons pas la macarena tout nus… à moins, bien sûr, que vous insistiez, ajouta-t-il, espiègle.

Comme elle le fixait d'un air indigné, il soupira.

— Allons, Kendal, détendez-vous. On est au Mexique. Venez. Je vous protégerai.

Il écarta sa veste en jean, et Kendal aperçut la crosse d'un petit automatique glissé dans sa ceinture. Mon Dieu, songea-t-elle. Avec quel vaurien s'était-elle aventurée ici ?

La fouille s'avéra une pure formalité. Le vigile ne trouva même pas l'arme de Jason. Et ce dernier n'eut qu'à froncer les sourcils pour qu'il la laisse passer.

A l'intérieur, quelques autochtones et beaucoup de touristes se mêlaient sur la piste de danse bondée, s'agitant au rythme entraînant et lascif d'une musique latino jouée par un orchestre local.

Kendal comprit d'où la discothèque tenait son nom en voyant l'ampoule nue qui pendait à un fil noir au-dessus de la piste, son halo pâle entouré d'une nuée de moustiques et de mouches. Il régnait une atmosphère bruyante, enfumée… et sensuelle.

— En général, ils jouent de l'excellente musique salsa vers minuit, cria Jason en l'entraînant dans la danse d'un air jubilatoire.

— On ne risque pas de reconnaître *El Medico* ? demanda-t-elle comme il plaquait un bras autour de sa taille.

— Aucun risque. Il y a surtout des touristes ici.

Ils dansèrent pendant plus d'une heure. Jason semblait avoir une énergie inépuisable, tournant autour d'elle avec des mouvements provocants et sensuels destinés à la séduire. Et elle dut admettre que ça marchait.

Quand arriva la série de slows, il la prit contre lui et fredonna doucement à son oreille, éveillant des sensations troublantes en elle.

Elle n'avait pas dansé depuis si longtemps qu'elle avait oublié combien il était doux de sentir le corps d'un homme contre le sien, de se mouvoir au même rythme au son de la musique.

Ils quittèrent la piste le temps de déguster une bière fraîche, et Kendal en profita pour étudier son environnement. Au contraire de ces élégantes discothèques dont les clients cherchent à se distinguer par leurs tenues voyantes, *El Foco* était fréquenté par des jeunes gens en jean et T-shirt qui venaient simplement s'amuser.

Toutefois, un homme, assis seul dans un coin, ne semblait pas à sa place, ici. Il semblait trop vieux et il avait un visage trop dur qui contrastait parmi cette jeunesse gaie et insouciante. Ses cheveux grisonnants étaient plaqués en arrière et son visage bouffi avait une expression sinistre.

Comme Kendal surprenait son regard lubrique et froid posé sur elle, elle le toisa, et il détourna la tête.

— Ne faites pas ça, lui murmura Jason.

— Quoi donc ?

— Ne regardez pas cet homme. Les gens d'ici trouvent les Américaines effrontées, alors inutile d'en rajouter.

— Je l'ai vu dehors, sur le trottoir, lui dit-elle à l'oreille. Il nous a suivis ici. Et je serais prête à parier qu'il nous observe.

Jason jeta un coup d'œil par-dessus son épaule.

— Allons danser.

— Encore ?

— Oui. Maintenant, dit-il en la plaquant contre lui.

Ils évoluaient sur un rythme latino-américain assez enlevé quand Kendal prit conscience que Jason, fendant la foule, l'entraînait peu à peu vers la porte.

Ils se retrouvèrent bientôt dehors.

— Pourquoi cette comédie ? s'enquit-elle, essoufflée par leur sortie précipitée.

— Si ce type nous épie, nous ne pouvons pas rester. Venez.

Il lui saisit la main et, à petites foulées, l'entraîna vers la jeep. Sa gaieté s'était envolée, remplacée par une gravité étrange.

S'efforçant de le suivre, Kendal regarda par-dessus son épaule et frissonna, plus sensible à l'air froid après la chaleur générée par les corps en sueur à l'intérieur du club.

— Mais pourquoi nous surveillerait-il ?

Jason ralentit et la prit par les épaules pour franchir les derniers mètres.

— Probablement parce que vous êtes magnifique…

Elle soupira avec agacement.

— Qui sait ? reprit-il. Depuis le soulèvement des *zapatistas*, des factions adverses se livrent un combat sans merci. Et tout étranger qui traîne ici est suspect.

— Mais nous n'avons rien fait, sinon essayé d'aider ces pauvres gens, objecta-t-elle.

— Il nous arrive néanmoins d'être mêlés à leur lutte. L'année dernière, des paramilitaires ont mitraillé un groupe de femmes et d'enfants et j'ai opéré certains d'entre eux. Je peux me tromper sur ce type, mais il paraissait déplacé dans cette boîte. Et puis tout le monde sait que je viens ici en apportant beaucoup de médicaments des Etats-Unis. C'est une des raisons pour lesquelles j'opère caché dans la forêt car on se livre à d'importants trafics de drogue dans la région.

— Varajas ?

— Oui. C'est pour ça qu'il veut garder les villageois sous sa coupe.

Kendal jeta un regard terrifié derrière elle.

— Vous croyez qu'il nous a vus sortir ?

— J'espère que non, dit-il en ouvrant la portière de la jeep. Montez. On va rentrer au plus vite.

Il s'assit au volant, démarra et s'engagea dans la ruelle. Tout en conduisant, il glissa une main sous sa chemise pour prendre le revolver et le caler sous sa cuisse.

Sur la route en lacet, Kendal remarqua qu'il n'arrêtait pas de regarder dans le rétroviseur. Puis il appela Ben de son portable pour le prévenir de ne pas relâcher sa surveillance.

Le deuxième jour d'opérations se déroula exactement comme le premier. Ils travaillèrent jusqu'au soir et restèrent debout toute la journée.

Et toute la journée, Kendal fut hantée par la vision de la jeune indigène émergeant de la jungle avec son enfant, et par le visage de l'homme louche aperçu dans la boîte de nuit.

Mais Jason ne perdit rien de son énergie ni de son entrain. Sifflant. Plaisantant. Donnant des ordres. Et quand la longue journée s'acheva, elle constata avec surprise qu'il avait encore trouvé le moyen de se retrouver seul avec elle.

Pour sa part, Jason se sentait fébrile car il avait un plan. Il aimait beaucoup séduire les femmes, et celle-ci en particulier. Aussi demanda-t-il à Viljo de leur préparer un pique-nique et il l'avisa que, si nécessaire, on le trouverait avec Kendal dans un coin tranquille de la forêt.

— Mais, *El Medico,* et ce *loco* qui vous épiait dans cette boîte ?

— Eh bien ?

Viljo lui tendit un panier contenant du fromage, des *bolillos* et des fruits enveloppés dans une nappe et recouverts d'un plaid artisanal aux couleurs vives.

— *Senor,* la jungle est pleine de *zapatistas* et de voleurs. Ce n'est pas un endroit où emmener une *chica.* Laissez-moi vous accompagner. J'ai une arme.

— Moi aussi, répondit Jason en prenant le panier. Nous n'irons pas plus loin qu'Agua Luna.

Lors de son premier séjour, Viljo lui avait montré la magnifique chute d'eau qui se jetait dans un lac aux eaux translucides.

Bien des années plus tôt, quand on avait construit l'hôtel pour appâter les riches vacanciers de Mexico, le site attirait les âmes romantiques. Jason y était allé seul de nombreuses fois. Mais aujourd'hui, il voulait y emmener Kendal.

— Nous ne resterons que jusqu'au lever de la lune.

Ce soir, la pleine lune baignerait le lac d'une douce clarté laiteuse. Le cadre idéal pour ce qu'il avait en tête.

Il avait l'impression d'être redevenu un adolescent, mais il ne se rappelait pas avoir jamais été aussi attiré par une femme.

Ils reprirent la vieille jeep de Viljo et empruntèrent un chemin si étroit que la végétation luxuriante entrait par les vitres ouvertes.

— Où allons-nous ? demanda Kendal en écrasant un moustique.

— Vous verrez.

— Allez-vous cesser de dire ça ?

Cahotant sur le sentier défoncé, le véhicule s'enfonçait dans la forêt tapissée de mousses, de lichens, de fougères, et Kendal entendit le grondement de la cascade avant même qu'il arrête la jeep.

Prenant le panier, il lui saisit la main et l'entraîna dans un petit chemin qui se faufilait dans les épaisses broussailles.

Quand, soudain, Kendal s'arrêta, émerveillée. Ils venaient d'émerger dans une clairière où une impressionnante chute d'eau se jetait dans un lac turquoise limpide comme le cristal, dans un nuage d'écume blanche et mousseuse.

— Agua Luna, expliqua Jason.

— L'eau de la lune, traduisit-elle.

Posant le panier sur un rocher moussu, il se tourna vers elle.

— Approchez, dit-il, l'attirant doucement à lui.

Il scruta son visage à la lumière déclinante du crépuscule.

— Vous avez de très beaux yeux.

Puis il glissa un bras autour de sa taille, l'autre autour de ses épaules, et, la renversant en arrière, il s'empara de sa bouche d'abord tendrement, puis avec passion.

Kendal ressentit l'impact de ce baiser au plus profond d'elle-même. Ce n'était pas sa manière de la tenir, pourtant délicieusement virile. Ce n'était pas sa façon d'embrasser, avec un savant mélange de douceur et d'ardeur. Ce n'était pas non plus le goût de sa bouche, frais et piquant à la fois.

Non, c'était autre chose qui lui coupait le souffle, lui tournait la tête.

Et le rugissement de l'eau ne faisait qu'intensifier le grondement sourd qui résonnait dans son crâne.

Il s'écarta le temps de changer de position, et reprit ses lèvres pour un baiser encore plus audacieux, encore plus intime, auquel Kendal répondit avec fièvre. Quelque part dans les hauteurs de la canopée, un oiseau lança un cri, faisant écho à celui qui enflait en elle. *Encore !*

Un grognement sourd leur échappa au même moment, et le souffle de Jason se fit rauque tandis que, pour la troisième fois, il s'emparait de sa bouche.

Kendal était sidérée par le désir brûlant qui la possédait. Elle n'avait jamais connu cela avec Phillip ! Mais lorsque les mains de Jason s'insinuèrent sous ses vêtements, elle trouva la force d'y mettre un terme.

— Pardon, murmura-t-il comme elle le repoussait. Je me suis laissé emporter. J'ai envie de faire ça depuis le jour de notre rencontre, à mon bureau.

Elle trouva son honnêteté désarmante, comme ses baisers.

Elle s'efforça de reprendre son souffle.

— Je… Attendez…

— Je comprends.

Il la prit dans ses bras et lui caressa doucement le dos.

— Je n'avais pas prévu de vous embrasser comme ça, mais je suis content de l'avoir fait ici.

— Pourquoi ? murmura-t-elle, le front appuyé contre son torse.

— Parce que je veux que nous nous rappelions ce moment, dit-il en enfouissant les doigts dans ses cheveux.

— C'est allé un petit peu trop vite pour moi...

Il déposa un baiser sur sa tempe.

— J'irai plus lentement, alors.

Ramassant le panier, il lui prit la main pour l'entraîner sur le sentier escarpé qu'ils quittèrent pour s'engager sur une passerelle grossière suspendue au-dessus du lac.

Kendal eut l'impression étrange que ce pont la conduisait dans un autre monde. Un monde sauvage, dangereux, sous le contrôle de Jason. Et rien ne pouvait plus l'arrêter. Elle voulait fouler les lieux mystérieux où il avait choisi de l'emmener.

Au bord du lac, il étendit la couverture colorée sur un tapis de mousse. Puis ils sortirent leur pique-nique.

Kendal s'aperçut qu'elle n'avait pas grand appétit. Pas pour la nourriture, en tout cas. Elle avait perdu le goût de manger depuis son arrivée au Chiapas.

Remarquant qu'elle ne touchait pas à son sandwich, Jason s'arrêta de parler. Se penchant vers elle, il lui donna la becquée, comme à un oisillon, mais elle eut du mal à avaler le petit morceau de pain.

— Vous n'en voulez plus ?

Elle regarda ses mains, nerveuse.

— Je ne sais pas ce que je veux.

— Je crois que moi, je le sais.

Il l'étendit doucement sur la couverture et, pressant son corps athlétique contre le sien, il prit son visage dans ses belles mains. Cette fois, son assaut sur sa bouche ne fut pas tendre.

Tout en l'embrassant, il murmurait contre ses lèvres. Lui disant ce qu'il voulait lui faire, les fantasmes insensés qu'elle lui inspirait. Ses mains étaient partout sur sa peau, chaudes, habiles.

Comme ses caresses se faisaient plus intimes, Kendal songea avec effarement qu'elle n'avait pas été touchée ainsi depuis longtemps, si tant est qu'elle l'ait jamais été.

— Votre peau est si soyeuse, chuchota-t-il contre sa bouche alors que ses doigts experts remontaient le long de ses cuisses.

Le soleil avait disparu et la lune s'était levée, mais Jason n'était pas pressé. La cascade faisait un contrepoint tapageur à son exploration douce, à ses baisers sensuels.

Pour l'instant, il lui suffisait de caresser Kendal. Il voulait que leur étreinte se déroule comme *elle* l'aurait décidé, ils feraient l'amour quand elle serait prête.

Il acceptait volontiers ce qu'elle était disposée à donner, les limites qu'elle fixait. Mais, bon sang, elle semblait plus que prête. Elle était femme jusqu'au bout des ongles.

Mais malgré le désir fou qu'elle lui inspirait, il voulait bien attendre le bon moment. En dépit des préservatifs dans la poche de sa veste. Angelica et les Mexicains les appelaient *angels custodios*, des anges gardiens.

Il sourit malgré lui à la pensée que, s'il était bien décidé à la protéger, il n'avait vraiment rien d'un ange gardien.

Un bruit soudain lui fit dresser la tête.

— Qu'est-ce que c'était ? balbutia Kendal en se redressant, les cheveux délicieusement ébouriffés.

Il tendit la main vers le panier et chercha le revolver sous la nappe. Puis il s'assit, l'arme pointée vers les frondaisons de l'autre côté du lac.

Collée contre lui, Kendal scruta le rideau impénétrable de la jungle.

— Qu'est-ce que c'est ?

— Chut.

Au même instant, ils virent une silhouette remuer. C'était une jeune femme tapie dans le sous-bois comme un animal apeuré.

— Dites-lui de s'avancer pour qu'on puisse la voir, ordonna Jason.

Kendal traduisit d'une voix tremblante. La jeune femme obéit et, à leur surprise, elle craqua une allumette pour allumer une bougie, tenant la flamme près de son visage.

— C'est la fille qui était près de l'hôtel, chuchota Kendal. Celle qui avait un enfant avec elle.

La jeune indigène s'avança dans la flaque de lumière argentée de la lune et leur fit signe de la suivre.

— *Venga,* dit-elle, sa voix couvrant le grondement sourd de la chute d'eau. Venez. *Por favor.*

Kendal se leva précipitamment, mais Jason lui prit le bras pour la retenir.

— Mais ce petit enfant ! protesta-t-elle. Il a peut-être besoin de nous !

— Je vous l'ai dit, Kendal, il y a dans cette jungle toutes sortes de désespérés qui n'hésiteraient pas à se servir d'un enfant comme appât. Dites à la femme de ne pas nous jouer de mauvais tour, je suis armé.

De nouveau, Kendal traduisit ses paroles.

— *Si. Esta bien,* répondit l'inconnue en espagnol. Mais aidez-nous, je vous en prie.

Elle les invita à la suivre dans la jungle.

— Restez derrière moi, ordonna Jason en repoussant Kendal.

Il garda son arme pointée sur la silhouette sombre pendant qu'ils franchissaient l'étroite passerelle.

Quand ils furent de l'autre côté, la jeune femme garda ses distances et les entraîna dans la forêt par un petit sentier baigné par le clair de lune. Ils arrivèrent bientôt devant une grotte où l'humidité suintait de toutes parts, dégoulinant le long des parois de pierre.

— *Aqui,* dit la femme en portant un doigt à ses lèvres. C'est là.

A l'intérieur, quelques grosses bougies se consumaient dans des niches creusées à même la roche, éclairant la forme endormie d'un tout petit enfant pelotonné sur une couverture aux couleurs vives étendue sur un lit de feuilles.

Il était beau, comme sa mère, à cette différence près que sa bouche et sa mâchoire semblaient bizarres.

Malgré leur discrétion, l'enfant ouvrit les yeux et battit des paupières, mais ne proféra pas un son. De toute évidence, on lui avait enseigné le prix du silence.

S'agenouillant près de lui, la jeune femme le prit dans ses bras où il se blottit. Ses grands yeux noirs, étincelants comme deux éclats d'obsidienne dans son petit visage de lutin, paraissaient étrangement exorbités tandis qu'il fixait sans ciller les étrangers. Il pinçait ses petites lèvres difformes pour ravaler ses larmes.

Le cœur de Kendal fondit.

— Oh, il est adorable. Qu'est-il arrivé à son visage ? demanda-t-elle à sa mère en espagnol. Et à ses petites mains ? ajouta-t-elle, désignant les minuscules doigts palmés.

Ce fut Jason qui répondit.

— Il est né ainsi, ou plutôt il a grandi ainsi à cause d'une anomalie congénitale. Le syndrome de Crouson ou celui d'Apert, à mon avis, expliqua-t-il en s'accroupissant près de l'enfant pour l'examiner. Quoi qu'il en soit, cela a causé un arrêt du développement facial.

Il glissa doucement le doigt le long de la petite mâchoire difforme, et le bébé se recula avec un cri d'effroi.

La mère lui parla rapidement en espagnol. Elle

paraissait distraite, comme si elle avait peur, son regard revenant sans cesse à l'entrée de la grotte.

C'est alors qu'à la lueur diffuse des bougies, Kendal remarqua d'importantes ecchymoses sur ses bras.

— On vous a maltraitée, lui dit-elle en espagnol.

— *Si. El Chancho,* répondit la femme avec indifférence. Aidez mon bébé, ajouta-t-elle d'un ton implorant.

Kendal lui posa un certain nombre de questions, puis se tourna vers Jason pour lui traduire les réponses.

— Elle s'appelle Lucia et son fils, Miguel. Il a deux ans, presque trois, et elle nous supplie de l'emmener pour l'opérer. Elle prétend qu'il est très intelligent et qu'il essaie déjà de parler, mais qu'il a du mal à cause de sa difformité. Elle n'a pas d'argent.

— Kendal, revenez sur terre, dit-il en lui jetant un regard incrédule. Ce que je fais ici, c'est du travail de raccommodage. Cet enfant a besoin d'une grosse chirurgie cranio-faciale, avec une équipe spécialisée. Ce n'est pas d'un chirurgien plasticien dont il a besoin, mais d'un neurochirurgien, d'un oto-rhino-laryngologiste, et d'un ophtalmologiste. Sans parler d'un orthodontiste, d'un généticien, d'un psychologue, voire d'une assistante sociale ! Vous ne comprenez pas ? C'est très grave.

Il voulut examiner de nouveau l'enfant, mais celui-ci se déroba en criant, terrorisé.

— Arrêtez. Vous leur faites peur avec vos grands mots…

Puis, caressant le bras de la jeune mère, Kendal lui murmura quelque chose en espagnol.

— Que lui avez-vous dit ? demanda Jason.

Il commençait à être un peu agacé. Par ce bébé qui refusait d'être examiné. Par le mystère dont s'entourait la mère. Et enfin par l'attitude de Kendal, passée en trois secondes chrono de la sensualité la plus débridée à une attitude de censeur.

— Je lui ai dit que nous l'aiderions, bien sûr.

Lucia embrassa son fils puis, se mordant la lèvre, le mit dans les bras de Kendal qui le serra instinctivement contre sa poitrine.

— Je ne peux rien faire pour lui ! protesta Jason. Je vois souvent des enfants comme lui ici, parfois plusieurs dans la même famille. J'ai vu douze gamins grandir dans un taudis de deux pièces sans eau courante ni électricité, dont la moitié avait la même anomalie génétique.

Il tenta encore d'approcher Miguel, mais sans plus de succès.

— On ne peut pas réaliser une chirurgie de cette importance dans une cabane perdue dans la jungle, bon sang !

— Chut ! murmura Kendal en caressant le dos de Miguel. Baissez la voix. Vous l'effrayez.

Les larmes aux yeux, Lucia enleva une longue chaîne en or qu'elle portait autour du cou et au bout de laquelle était accrochée une médaille.

— *Santa Lucia,* murmura-t-elle avant de se lancer dans une longue tirade en espagnol en glissant le médaillon dans la paume de Kendal.

La jeune femme lui répondit dans un espagnol rapide, ce qui porta la frustration de Jason à son comble. Elles semblaient convenir d'un accord mais il n'avait pas la moindre idée de ce qu'elles se disaient.

— *Gracias*, murmura finalement la jeune mère, les joues baignées de larmes, en reculant vers la sortie de la grotte.

Le petit garçon se mit à hurler.

— Attendez ! s'interposa Kendal. Où allez-vous ?

— Elle ne reviendra pas, commenta Jason, cynique, comme Lucia disparaissait à leur vue. Son problème est résolu.

— Non. Vous vous trompez, protesta Kendal en montrant le petit disque d'or à Miguel pour le distraire de son chagrin. Elle m'a dit qu'elle reviendrait chercher sa médaille. Elle est en or massif et a été faite pour sa mère maintenant décédée. Elle représente sainte Lucie, qui apporte la lumière aux non-voyants. Elle a dit qu'elle nous porterait bonheur si nous aidions son bébé.

— Superstition…, grommela-t-il en prenant la médaille pour l'examiner à la lumière d'une bougie. C'est bien de l'or, mais je doute que Lucia revienne.

Il tendit la main pour caresser le dos du petit enfant secoué de sanglots convulsifs.

— On dirait que nous allons devoir nous occuper de ce petit bonhomme…

Le troisième jour fut la fidèle répétition du deuxième. Interminable, chaud, émaillé de problèmes divers.

Les opérations terminées, Jason se mit en quête

de Kendal qui avait ramené Miguel dans sa chambre après avoir entré les données du jour dans son ordinateur.

Il frappa à la porte.

— Entrez.

Elle était en train de baigner le bébé dans le petit lavabo de la salle de bains. Une banane entamée, des biscuits et une tasse de lait étaient posés sur la table de chevet.

— Qu'est-ce que vous faites ?

— Je m'occupe de lui. Il n'a pas de famille.

— Les *curanderas* peuvent s'en charger.

Kendal lui jeta un coup d'œil torve.

— Je me suis acquittée de toutes mes obligations…

Mais elle avait travaillé jusqu'à la limite de ses forces, faisant la navette entre le petit enfant effrayé et les opérés à surveiller. Assumant ses tâches habituelles tout en s'occupant de Miguel… Jason ne pouvait s'empêcher d'admirer sa détermination, son adaptabilité, son énergie. Comment refuser quoi que ce soit à une femme pareille ?

— J'ai décidé de lui opérer le palais, annonça-t-il.

Elle pivota sur elle-même, l'air résolu.

— Quand ?

Il frotta ses yeux las.

— En début de semaine prochaine. Le plus tôt sera le mieux. Dans le meilleur des cas, il aura un rétablissement difficile.

— Après l'opération, il pourra rester dans ma

chambre puisqu'il n'a pas de famille. Je me chargerai de ses soins, dit-elle en sortant Miguel du lavabo pour l'envelopper dans une serviette. Ruth m'aide déjà.

Jason lui sourit.

La belle Kendal Collins n'était au Mexique que depuis trois jours, mais déjà, elle était prête à tout affronter. Il se demanda s'il n'était pas en train de s'attacher à elle et se promit de garder la tête froide.

Mais plus tard, ce soir-là, après avoir terminé ses visites postopératoires, il retourna dans la chambre de Kendal.

Elle porta un doigt à ses lèvres en venant lui ouvrir.

— Miguel a fini par s'endormir, souffla-t-elle.

L'enfant était pelotonné sur le lit de la jeune femme et elle l'avait couvert avec sa veste en mouton retourné.

A cet instant, Ruth surgit derrière Jason, portant une couverture de coton. Elle lui donna une petite tape dans les côtes pour l'obliger à se pousser et pénétra dans la chambre.

— Pardon… J'en ai trouvé une, Kendal, dit-elle.

Les deux femmes soulevèrent délicatement la lourde veste qui recouvrait l'enfant et l'enveloppèrent dans la couverture. Fières d'avoir accompli cette prouesse sans le réveiller, elles échangèrent un sourire.

Comme les femmes aimaient jouer à la poupée ! songea Jason.

— Il n'arrête pas de pleurer après sa mère, chuchota Kendal. Ça me brise le cœur.

— Espérons qu'il dormira toute la nuit, répondit Ruth.

— Je venais voir si vous aimeriez aller manger quelque chose, Kendal, intervint Jason quand il put capter l'attention de la jeune femme. Je voudrais vous parler.

— Allez-y, dit Ruth, je veillerai sur Miguel.

— Merci, mon chou, dit-il en lui adressant un clin d'œil. Rappelez-moi de vous donner une grosse prime pour Noël.

Puis, un sourire reconnaissant aux lèvres, il poussa Kendal vers la porte.

— Je n'ai pas très faim, protesta-t-elle comme ils descendaient l'escalier.

— Comment allez-vous prendre soin de votre petit chiot égaré si vous ne mangez pas ?

— Miguel est un être humain.

— Je sais, Kendal. C'est de ça que je veux vous parler. Venez. Allons dîner. Je meurs de faim, et puis je ne vous verrai plus autant maintenant, surtout quand j'aurai opéré Miguel.

— Bon, d'accord, mais je prendrai quelque chose de léger. Et je ne veux pas danser ce soir, ni rien de ce genre.

— Très bien.

Par « rien de ce genre », elle voulait certainement dire « bas les pattes ». Mais Jason savait qu'il aurait du mal à ne pas la toucher.

Il demanda à Viljo de leur apporter de la *sopa azteca*, de la soupe aztèque, avec un plat de *quesadillas* au fromage pour lui.

Comme Viljo leur préparait des margaritas avec un sourire entendu, Jason supposa que, pour beaucoup de gens d'ici, Kendal et lui sortaient ensemble, ou sur le point de le faire.

Que se passerait-il quand ils regagneraient Integris ? Cette pensée lui arracha un sourire. Il réfléchissait déjà aux endroits où il aimerait emmener la jeune femme, aux personnes qu'il voulait lui faire rencontrer.

— Vous avez travaillé très dur aujourd'hui, remarqua-t-il quand ils eurent fini de dîner. Vous avez besoin de prendre un peu l'air. Allons nous promener pendant que nous parlons.

Il lui prit la main, et ils marchèrent en silence dans la fraîcheur du soir.

— Vous ne devez pas trop vous attacher à ces enfants, reprit-il au bout d'un moment. Il ne faut pas trop vous impliquer affectivement. Miguel devra retourner chez les siens.

— Je ne peux pas m'endurcir le cœur, Jason. Je vous l'ai dit. Je m'y refuse.

Il s'arrêta sur le sentier et scruta son regard à la pâle lueur de la lune.

— Je sais. Je crois que c'est pour ça que je commence à m'attacher à vous.

Alors qu'elle le fixait, bouche bée, il ne put résister à l'envie d'y déposer un baiser bref mais tendre. Puis deux, puis trois. Avant de s'emparer de ses lèvres avec une passion dévorante.

Quand il s'écarta, elle avait le souffle court. Elle le repoussa.

— Jason…

— Je sais, je vais trop vite. Je vais me calmer, promis.

Mais il ne se passa pas deux minutes avant qu'il glisse un bras autour de sa taille. Et deux secondes plus tard, il l'embrassait de nouveau à perdre haleine.

Peu après, ils pénétraient sous sa tente.

10.

Sous la tente, il la guida jusqu'à l'étroit lit de camp.

— Allongez-vous, dit-il. Je vais m'asseoir sur le sac de couchage, par terre.

Posée sur le sentier menant à l'hôtel, une lanterne éclairait la tente d'une faible lueur qui se reflétait sur les parois de toile. Détendus par la tequila, ils bavardèrent à voix basse dans la pénombre silencieuse.

— Je vous remercie de tout cœur d'opérer Miguel, dit Kendal, profitant d'une pause dans la conversation.

— J'en ai envie, répliqua-t-il avec un haussement d'épaules désinvolte, mais secrètement touché par sa gratitude. C'est mon travail.

— Je sais que c'est risqué… Vous ai-je dit combien j'admirais ce que vous faites ?

Il déposa un baiser au creux de sa paume avec une ardeur qu'il ne comprit pas lui-même.

— C'est très important pour moi, chuchota-t-il.

Tout en parlant, ils avaient commencé à se toucher. Le visage, les bras, les cheveux. Et en écartant tendrement une épaisse mèche brune du front de la jeune femme, Jason s'aperçut qu'elle désirait davantage.

Alors, il lui massa les pieds, les muscles des mollets, et quand ses mains glissèrent insensiblement plus haut, il se réjouit de voir qu'elle le laissait faire.

Lui soulevant son T-shirt, il déposa un baiser brûlant entre ses seins.

Agenouillé près du lit de camp, il pouvait la caresser à loisir, étendue devant lui, à sa merci. Elle était douce, délicate, et excitante.

Nullement embarrassée, Kendal le laissait la toucher, l'embrasser dans un crescendo qui l'enflammait tout entière, faisant naître à la vie chaque parcelle de son corps.

Elle avait l'impression de s'envoler toujours plus haut, vers un lieu qu'elle n'avait jamais atteint. Dans la faible lumière qui baignait la tente, elle voyait son regard passionné, triomphant, tandis qu'il observait sa lente ascension vers le plaisir.

A l'instant de l'extase, elle ferma les yeux, tendant les bras à l'aveuglette pour l'agripper par les épaules pendant qu'elle se cambrait sous les assauts du plaisir.

Quand elle retomba, inerte, sur les draps emmêlés, il l'attira à lui sur le sac de couchage. Dans l'exquis brouillard où elle planait, Kendal se demanda vaguement à quel moment il s'était déshabillé. Mais elle ne pouvait pas parler, et ses lèvres se contentèrent d'implorer un nouveau baiser.

Ce qu'il fit sans cesser de la caresser, encore et encore, jusqu'à ce qu'elle l'implore de venir en elle.

Alors, l'obligeant à se glisser sur lui, il la fit sienne. Un râle, ou plutôt un feulement lui échappa, et il la regarda sous l'emprise d'une passion qui la rendait aveugle et sourde à tout ce qui n'était pas lui. Elle n'avait pas conscience de la sensualité de ses gestes, des mouvements frénétiques de sa tête, des appels rauques qu'elle lui lançait, et cela le rendait fou de désir. Fou. Il y avait en elle quelque chose de primitif, de sauvage, et en même temps, elle était totalement femme.

Ses yeux s'étaient habitués à la pénombre, et il s'émerveillait des détails qu'il découvrait. Même la fine pellicule de sueur sur sa peau le fascinait.

Elle avait une peau magnifique. Laiteuse. Sans le moindre défaut. Douce comme de la soie. Partout. Ses mains couraient sur ses hanches, dans son dos. Il n'avait jamais touché une peau pareille. Il ne s'en lassait pas.

Comme il accordait son rythme au sien, il sentit son univers sur le point d'exploser et, pour prolonger le plaisir, il fixa son regard sur les beaux seins pâles, au creux desquels se balançait la médaille d'or.

Il suivit le mouvement des yeux pendant quelques secondes hypnotiques, puis Kendal se pencha légèrement, et la médaille lui frappa doucement le torse, encore et encore. Jusqu'à ce que la jeune femme se cambre en criant, à l'instant même où il sentit l'extase l'emporter.

Puis elle s'effondra contre lui, la petite médaille coincée entre eux. Il lui embrassa la tempe, le cœur battant la chamade. Ou était-ce celui de Kendal ?

— Je me sens si proche de toi, chuchota-t-il,

conscient que les mots traduisaient mal ce qu'il éprouvait vraiment.

Elle murmura quelque chose d'indistinct d'une voix endormie, satisfaite, et se blottit contre lui.

Il se mit à jouer distraitement avec la médaille.

— Pourquoi la portes-tu ? questionna-t-il.

— Lucia me l'a demandé, murmura-t-elle, sur le point de sombrer dans le sommeil. Elle a dit que ça nous rapprocherait.

— Toi et moi ?

— Oui. Toi… et moi.

Pendant un instant fugitif, Jason fut submergé par une émotion très forte qui lui fit monter les larmes aux yeux, et qui ressemblait… au bonheur.

Ou était-ce la rédemption ?

Kendal se réveilla d'un sommeil profond, désorientée, épuisée, émergeant à grand-peine d'un rêve troublant. Un rêve incroyablement érotique. Sa peau était moite, sa langue affreusement sèche.

De l'eau. Il lui fallait de l'eau.

Elle tira sur le drap qui l'enveloppait et commença à prendre conscience qu'elle n'était pas dans son lit. Et elle était… nue.

Elle sursauta, pleinement réveillée à présent. Elle se trouvait au Mexique. Sous une tente vaguement éclairée par la lumière grisâtre qui précédait l'aube. Allongée sur un sac de couchage. Avec *lui*.

A cet instant, elle entendit gémir derrière elle. Redoutant un peu ce qu'elle allait voir, elle se retourna prudemment. Son pouls s'accéléra à la vue du profil de Jason. Il était encore plus beau dans le sommeil, mais à cet instant, son visage reflétait une angoisse indicible, comme s'il faisait un mauvais rêve.

Il geignit de nouveau.

Eh bien, elle aussi était en train de faire un mauvais rêve ! Sauf qu'elle était bien réveillée. C'est alors que le souvenir de leur nuit l'assaillit. Un sentiment euphorique la gagna, rapidement éteint par une bouffée de culpabilité.

Pourquoi avait-elle perdu la tête ? Ce n'était pas ainsi qu'elle souhaitait commencer une nouvelle relation amoureuse. Elle voulait connaître le véritable amour, bon sang, et cet homme ne risquait pas de lui donner ce qu'elle voulait. Jamais. C'était Le Loup.

Un nouveau gémissement lui échappa tandis qu'elle l'étudiait dans la pénombre glauque. Il dormait, mais paraissait agité, troublé. Il avait arraché le drap qui le couvrait et, à la lueur cireuse de l'aube, son corps athlétique semblait sculpté dans le marbre, évoquant le magnifique David de Michel-Ange.

Ses longues jambes musclées étaient écartées et une main reposait sur son aine, l'autre se crispant sur son cœur en un geste protecteur. Aucun doute, il était en proie à un cauchemar.

Ses soupçons se confirmèrent quand elle vit son front se plisser de rides tandis qu'une plainte douloureuse s'échappait de ses lèvres.

Même si elle avait l'impression de jouer les voyeurs, elle n'arrivait pas à détacher les yeux de ce corps puissant, se demandant comment elle avait pu se laisser séduire par cet Adonis.

Elle avait succombé à son charme. Malgré ses belles résolutions.

Et il finirait par la quitter, comme il avait quitté toutes les autres femmes avant elle.

Il fallait qu'elle s'en aille avant qu'il se réveille. Mais où étaient ses vêtements ?

Elle se redressa, tenant le drap contre sa poitrine d'une main tout en tâtonnant à la recherche de ses habits de l'autre. Dans les replis du sac de couchage, ses doigts rencontrèrent la lampe torche. Mais l'allumer risquait de le réveiller, et elle le préférait endormi car quand il posait sur elle un certain regard, Jason Bridges se révélait très dangereux.

Un frisson de désir la parcourut.

A cet instant, il tendit un bras vers elle, mais elle l'esquiva.

Ses vêtements, vite !

Elle chercha à l'aveuglette. Son top et son short étaient en jean sombre, et dans cette pénombre, il était impossible de les distinguer des draps vert sapin et du sac de couchage noir de Jason.

— Non, gémit-il. Non, Amy. Non… Le feu ! Recule !

Il se dressa d'un bond, les yeux grands ouverts, mais visiblement inconscient de ce qui l'entourait. Paraissant en proie à une terreur indicible, il agitait les bras, luttant contre les démons d'un monde cauchemardesque, combattant les draps emmêlés comme si c'était une entité bien vivante.

— Jason ! s'écria-t-elle en se recroquevillant pour tenter d'éviter un mauvais coup, se demandant que faire.

Avant qu'elle ait pu prendre une décision, il l'empoigna brutalement, lui broyant les bras de ses grandes mains, et la secoua avec violence. Puis, rejetant la tête en arrière, il poussa un hurlement.

— Non !

Kendal craignit qu'il n'ait réveillé tout l'hôtel. En même temps, elle souhaitait presque que quelqu'un accoure. Elle ne reconnaissait pas Jason dans cet inconnu qui l'agrippait. Il était possédé. Comme fou.

Il la secoua de nouveau.

— Non !

— Jason, arrête ! cria-t-elle en essayant de le repousser. Tu me fais mal. Lâche-moi ! Réveille-toi !

Mais plus elle se débattait, plus il resserrait son étreinte, l'écrasant contre sa poitrine.

— Amy ! bredouilla-t-il, agenouillé, voulant la soulever dans ses bras.

— Jason, laisse-moi, implora-t-elle.

— Non ! Amy ! Je ne te… laisserai jamais.

Cramponné à elle, il enfouit le visage dans son cou, et sa voix se brisa dans un sanglot déchirant. Ses bras de fer la maintenaient toujours dans un étau, et ses grands doigts pétrissaient sa chair tendre avec un désespoir qui était tout sauf érotique.

— Jason, arrête ! Tu me fais mal !

Il releva brusquement la tête et la fixa, et ses yeux bleus reflétèrent sa confusion tandis qu'il revenait à lui.

— C'est moi, dit-elle avec douceur, sentant se desserrer l'étau qui la tenait captive. C'est moi, Kendal. Tu as fait un mauvais rêve.

Il la lâcha aussi soudainement qu'il l'avait empoignée.

— Kendal ? répéta-t-il, le souffle court. Oh, mon Dieu…

— Tout va bien, dit-elle en posant une main rassurante sur son épaule, surprise par sa chaleur, sa tension. Tout va bien, Jason. Tu as eu un cauchemar. Mais c'est fini maintenant.

— Oh, mon Dieu…, répéta-t-il en se détournant. Je n'arrive pas à le croire.

— C'est fini, Jason.

— Tu ne comprends pas… Ce ne sera jamais fini.

Il y avait un tel désespoir dans sa voix qu'elle sentit son cœur se serrer douloureusement.

— Que veux-tu dire ?

Mais comme elle tendait la main vers lui, elle le sentit se refermer comme une huître.

— Ce n'était qu'un rêve, ajouta-t-elle encore, la seule consolation qu'elle pouvait lui apporter dans l'état actuel des choses.

— Oui, répondit-il d'une voix plus normale. Seulement un rêve. Et je l'ai déjà fait.

Il émit un petit rire sec et la regarda comme si elle était responsable de ce qui lui arrivait.

— Il y a longtemps de ça, mais ce n'est toujours qu'un rêve.

Elle le dévisagea d'un air perplexe.

— Tu as envie d'en parler ?

— Non, répliqua-t-il d'un ton froid en se passant la main sur le visage. Quelle heure est-il ?

Fouillant dans son short, il en sortit sa montre et l'examina à la lueur de la lampe torche.

— Ecoute, mon chou, il faut que nous dormions. Je commence mes opérations dans quelques heures, dit-il en enfilant son slip. Je te raccompagne à l'hôtel.

Il la congédiait purement et simplement.

Elle se mordit la lèvre pour ravaler les larmes qui lui montaient aux yeux, ne sachant même pas si elle souffrait pour elle… ou pour lui.

11.

Le lendemain, une seule question brûlait les lèvres de Kendal.

Profitant d'une pause pendant laquelle ils se restauraient, elle la posa sans détour :

— Qui est Amy ?

Il pleuvait à verse, et ils étaient assis en haut des marches du pavillon. Protégés de la pluie par l'avancée du toit de paille, ils dégustaient, leur assiette sur les genoux, le plat épicé préparé par Viljo.

Ils étaient seuls, en tête à tête pour déjeuner. Le reste du personnel s'occupait des patients à l'intérieur, et Ben était allé rendre visite aux missionnaires de San Cristobal.

Quand ils auraient fini de manger, ce serait le tour des autres.

La voix de Kendal rompit le silence pesant, et elle se rendit compte immédiatement qu'elle avait commis une erreur.

Comme il ne disait rien, elle porta sa bouteille de soda à ses lèvres, les yeux fixés sur les trombes d'eau qui se déversaient du toit, brouillant le paysage tropical.

Jason ne tourna même pas la tête vers elle. Mâchant furieusement son riz et ses haricots rouges, il regardait au loin, par-delà le rideau de pluie.

— Eh bien ? insista-t-elle.

— Eh bien quoi ?

Il lui jeta un regard bref puis enfourna une bouchée de haricots. Il avait une voix mauvaise, désagréable, destinée sans doute à la punir d'oser l'interroger, d'oser s'immiscer dans ses affaires.

Mais elle ignora sa froideur. Son instinct lui soufflait que ce cauchemar était important. Et elle sentait qu'elle n'y était pas étrangère, qu'il avait un rapport avec elle, avec leur étreinte amoureuse.

— Qui est Amy ? répéta-t-elle.

— C'est au sujet de ce cauchemar, je suppose.

— Oui. Tu n'arrêtais pas d'appeler une certaine Amy. Qui est-ce ?

— C'est personnel.

Elle fixa son profil, frappée de stupeur. *Personnel ?* Et quand ils avaient fait passionnément l'amour, ce n'était pas personnel, peut-être ?

— Au cas où tu l'aurais oublié, nous étions au lit ensemble quand tu as fait ce rêve.

— Oh, je ne risque pas de l'avoir oublié ! commenta-t-il en posant son assiette vide sur la marche à côté de lui. Et j'imagine que toi non plus…

Il lui jeta un regard malicieux et lui effleura l'intérieur de la cuisse tandis qu'il se penchait pour lui voler un baiser.

Mais elle ne se laissa pas détourner de son objectif.

— Ne m'as-tu pas dit que tu n'avais pas eu ce cauchemar depuis très longtemps ?

— J'ai dit ça ?

— Oui, j'en suis certaine. Et si c'est vrai, tu ne crois pas que sa réapparition a un lien avec moi, au fait que nous avons eu des rapports intimes ?

— J'aimerais bien que nous en ayons encore… Dès que possible.

Il voulut l'embrasser de nouveau, mais elle se déroba, fixant avec insistance la grande main toujours posée sur sa cuisse pour trouver le courage de lui dire la vérité.

— Voilà ce que je me rappelle, dit-elle. Je me souviens de ton regard quand tu m'as parlé de ton grand amour de lycée. Comment l'appelais-tu, déjà ? La seule et unique ? Et j'ai le souvenir précis de ton expression pendant que nous faisions l'amour. Et de chacune de tes paroles quand tu m'as dit combien tu te sentais proche de moi, juste après. Et puis nous nous sommes endormis et tu as fait ce cauchemar. Je ne pense pas que ce soit une coïncidence, et toi ?

Il s'écarta comme si elle l'avait frappé.

— Proche ? Tu es sûre que j'ai employé le mot « proche » ?

Elle ne put en croire ses oreilles. Elle n'allait pas discuter sémantique avec lui. Il n'était pas obligé de lui dire qui était cette Amy s'il n'en avait pas envie, mais elle ne le laisserait certainement pas renier ce qui s'était passé entre eux !

— Ça ne ressemble pas au genre de vocabulaire

que j'utilise, insista-t-il. C'était sans doute dû à la tequila…

— Ne fais pas ça.

— Quoi donc ?

— Tu es en train de me dire que tu ne te rappelles rien de ce que tu as ressenti, de ce que tu as dit ?

— Bien entendu, je me souviens des bons moments, dit-il avec un sourire désinvolte, sexy, exaspérant, sa façon à lui d'éluder la question.

— Les bons moments ? Tu ne veux pas dire… les moments intimes ? s'écria-t-elle avec indignation.

Il leva les mains pour l'apaiser.

— Pourquoi t'énerves-tu comme ça ?

— Ecoute… Dans mon milieu, on ne couche pas avec une personne un jour pour se comporter le lendemain comme si on la connaissait à peine. Je me fais du souci pour toi parce que tu as eu cet affreux cauchemar quelques heures après que nous avons fait l'amour, et tout ce que tu trouves à me dire, c'est que c'est personnel ? Faire l'amour est aussi très *personnel*, monsieur !

Le visage de Jason se durcit.

— Nous avons passé un agréable moment ensemble, mon ange, mais ça ne te donne pas le droit de t'insinuer dans ma tête.

Elle le fixa, incrédule. Elle voulait lui dire quelque chose comme « Je crois que je ne te connais pas », mais ce serait ridicule. Bien sûr qu'elle ne le connaissait pas. C'était justement le problème. Elle avait couché avec lui, mais elle ne savait rien de lui. Grave erreur.

Elle s'en rendait compte maintenant. Seulement il était un peu tard pour revenir en arrière.

Elle s'était encore mise dans de beaux draps !

Il la regardait, mais elle était incapable de déchiffrer son expression.

— Apparemment, ça ne me donne pas non plus le droit d'accéder à ton cœur, murmura-t-elle.

Il porta sa bouteille de soda à ses lèvres pour meubler le silence. De nouveau, il s'était refermé sur lui-même, comme s'il avait tiré un verrou derrière lui.

— Jason, tu souffrais. Je l'ai vu. Pourquoi ne puis-je pas t'aider ?

Il eut un sourire sardonique, dénué de chaleur.

— Il faut que tu apprennes la différence entre le sexe et la psychothérapie, chérie.

A quel jeu jouait-il ? A moins que ses blessures ne fussent encore plus profondes qu'elle ne le croyait ?

Mais peut-être n'était-il qu'un vulgaire séducteur, un Loup, après tout. Et elle s'était jetée tout droit dans sa gueule.

Cependant, la terreur qui brillait dans ses yeux quand elle l'avait vu en proie à ce cauchemar était bien réelle. Et sa voix avait paru torturée. Etrangement jeune. Douloureuse. Un jeune homme terrifié se cachait sous le déguisement du Loup. Qui était Amy ? Elle regrettait maintenant d'avoir posé la question.

Il fronça les sourcils.

— Mange tes haricots, mon ange. Et cesse de vouloir réparer des trucs qui ne peuvent pas l'être. Nous avons un long après-midi devant nous.

De fait, l'après-midi parut interminable à Kendal.

La pluie continua à tomber, torrentielle. L'air humide piégé sous le toit de paille prit une odeur fétide, mélange de sang, de sueur, de médicaments.

Kendal s'efforçait de ne pas penser à ce que lui avait dit Jason, ni à la nuit qu'ils avaient passée ensemble sous la tente, mais c'était impossible alors qu'ils ne cessaient de se frôler.

D'abord, elle essaya de rester professionnelle et calme, de ne pas répliquer quand il la rabroua en espagnol devant un patient.

Mais la seconde fois, elle réagit.

Ils étaient entre deux opérations. Ruth et Angelica s'occupaient du réveil du dernier patient, et elle-même, en compagnie de Jason, était censé nettoyer les instruments.

S'arrêtant pour consolider le pansement d'un enfant, Jason avait jeté le rouleau de sparadrap au visage de Kendal en voyant que ce n'était pas le bon.

— *Ese non !* Pas celui-là !

— Docteur, il faut que je vous parle, dit-elle quand ils eurent fini le pansement. Maintenant.

Ils s'isolèrent près des bassines où ils se nettoyaient les avant-bras et les mains.

— Ne me parle pas sur ce ton méchant devant les patients, dit-elle entre ses dents. Ni ailleurs, jamais.

Voyant qu'à l'autre bout de la grande salle, Angelica les regardait d'un air perplexe, Kendal prit une bouteille d'alcool et un paquet de compresses pour se donner une contenance.

Jason lui sourit.

— Pardon, dit-il à voix basse. Je garderai mon *ton méchant* pour les moments où nous serons seuls.

Elle faillit le gifler. Elle remarqua le froncement de sourcils inquiet d'Angelica, mais que lui importait ce que les autres pensaient ? En revanche, Jason, lui, devait impérativement savoir ce qu'elle pensait.

D'un geste brusque, elle posa la compresse qu'elle avait commencé à imbiber d'alcool.

— J'ai besoin d'une pause, marmonna-t-elle. Loin de toi.

Tournant les talons, elle traversa la pièce et se dirigea vers la sortie, vers la liberté.

— Où vas-tu ? demanda-t-il derrière elle.

— Angelica peut te servir d'interprète, répondit-elle sans se retourner.

— Elle a autre chose à faire.

Sourde à ses appels, Kendal franchit la porte.

Elle entendit ses pas descendre les marches de bois à sa suite.

— Reviens ici !

Mais, ignorant le déluge, elle courut vers la jungle, la vision brouillée par la pluie et les larmes. Elle ne savait pas ce qu'elle ferait une fois là-bas, mais pas question de continuer à être le bouc émissaire de Jason Bridges.

A l'orée de la forêt, elle écarta le feuillage trempé et plongea dans l'enfer ténébreux de la jungle, parcourant plusieurs mètres sur l'étroit sentier détrempé avant de s'arrêter, hoquetant pour ravaler ses larmes.

Comment osait-il lui parler sur ce ton, surtout après avoir dormi avec elle !

— Kendal !

Dominant le crépitement de la pluie, sa voix dure la fit sursauter.

— Laisse-moi tranquille ! cria-t-elle avant de s'enfoncer plus encore dans la forêt.

— Attends !

Elle entendit ses pas patauger dans les flaques d'eau, les branches craquer sous ses mains impatientes. Il se rapprochait.

Elle se remit à courir, mais bientôt, la piste se rétrécit, la forçant à ralentir l'allure pour s'agripper aux broussailles.

— Tu vas te perdre, espèce d'idiote !

Sa voix lui parut plus lointaine, comme si la distance entre eux avait augmenté.

Elle s'arrêta net. Et si elle se perdait vraiment ? Sans soleil, elle n'avait aucun moyen de s'orienter. Il avait raison, mais elle préférait passer la nuit dans la forêt vierge infestée de serpents que se laisser traiter avec un tel mépris !

— Kendal !

Bon, d'accord… Après tout, ils pouvaient s'affronter ici, sous ce déluge. De toute façon, elle se moquait de ce que Jason Bridges pouvait penser maintenant.

Elle se retourna et carra les épaules, bloquant le passage.

Quand il surgit au détour d'un fourré, elle vit qu'il était furieux et essoufflé. Il avait les cheveux plaqués sur le front et les gouttes d'eau ruisselaient sur son visage.

— Qu'est-ce que tu fiches, bon sang ? tonna-t-il.

Même les indigènes peuvent se perdre ici, surtout après le coucher du soleil !

— Laisse-moi tranquille, dit-elle en essuyant ses yeux brouillés par la pluie et les larmes.

— Je ne demanderais pas mieux, mais hélas, je me sens responsable de toi, dit-il, sarcastique, chassant l'eau de son visage d'un geste rageur.

— Comment oses-tu me parler ainsi !

— Comment oses-tu quitter la salle d'opération !

— Et comment oses-tu t'adresser à moi sur ce ton devant Angelica et les patients !

Quand elle prononça le mot « patient », elle bafouilla et postillonna, à sa grande honte, gênée par l'eau qui lui entrait dans la bouche.

Il poussa un profond soupir.

— Je ne te traite pas différemment de n'importe qui

— Précisément. Ça s'appelle traiter les gens comme des chiens, *docteur*. Et je commence à croire que c'est la raison pour laquelle tu viens ici chaque année.

— Que diable veux-tu dire ?

— Tu es un petit dieu ici. Tu distribues des bonbons, dit-elle, crachant encore des postillons à chaque mot. Tu te sens libre de considérer les gens comme des moins que rien. Ici, tu es le puissant Docteur Jason, le sauveur, avec ses mains magiques et son tirage au sort désignant les élus. Ici, tu ne te soucies pas de cacher qu'au fond, tu n'es rien d'autre qu'un pauvre type !

— Belle théorie..., commenta-t-il, les mâchoires crispées, en passant la main dans ses cheveux trempés.

Mais je n'ai pas besoin de venir jusqu'au Mexique pour flatter mon ego, car il se trouve que je suis le puissant Docteur Jason à Integris aussi !

Stupéfaite devant tant d'arrogance, elle se détourna avec dégoût.

Mais il lui saisit le bras et la fit pivoter vers lui.

— Lâche-moi, dit-elle avec froideur, fermant fort les paupières pour ne pas le voir.

Il la lâcha.

Autour d'eux, la pluie tambourinait sur les feuilles dans un crépitement étrange et régulier qui rappela à Kendal que l'Oklahoma était loin.

— Ecoute, tu peux penser de moi ce que tu veux, dit-il.

— Oh, tu peux y compter, rétorqua-t-elle avec défi, le regardant.

Les yeux de Jason semblaient d'un bleu acier dans la lumière voilée, et elle y lut du remords. Pas assez toutefois pour satisfaire son orgueil blessé.

— Je n'ai pas de temps pour ça, et toi non plus, enchaîna-t-il. Nous avons une mission à remplir. Et maintenant retournons travailler.

Quand il lui prit le coude, elle se raidit.

— Nous sommes fatigués, tous les deux, au point de dire des choses que nous ne pensons pas vraiment, reprit-il d'une voix plus douce.

— Oh, je pensais ce que je t'ai dit, répliqua-t-elle, très calme. Tu es un pauvre type.

— Très bien. Pense ce que tu veux. Mais les patients ont besoin de nous. A présent, viens.

— Cesse de me donner des ordres.

Et, libérant son bras, elle s'élança entre les arbres sur la piste boueuse.

— Kendal ! Ne fais pas l'enfant !

Mais elle se mit à courir le long du sentier sinueux, et quand elle déboucha devant une fourche, elle prit un embranchement sans réfléchir. Jusqu'où pouvait-elle s'enfoncer dans ces fourrés touffus avant de se perdre vraiment ? Elle décida de noter des repères, mais les feuillages commençaient à tous se ressembler.

Un singe hurleur bondit soudain d'un arbre avec des cris stridents. Gros comme un chimpanzé, l'animal lui barra le chemin et elle recula avec un hurlement, tombant de tout son long.

— Kendal ! rugit Jason.

Assise dans la boue, elle porta la main à son cœur en haletant. Fichue humidité ! C'était comme respirer sous l'eau. Insupportable. Le singe avait disparu dans les fourrés.

Les branchages s'écartèrent brusquement, et Jason surgit des fourrés pour tomber à genoux près d'elle.

— Ça va ? s'enquit-il d'un ait inquiet qui la désarma. Il t'a fait mal ?

— Non. Je suis juste un peu sale.

De ses doigts maculés de boue, elle repoussa les cheveux qui lui tombaient dans les yeux.

— Tu es sûre ? haleta-t-il, le souffle court, promenant les mains sur elle pour vérifier qu'elle n'avait rien, touchant ses épaules, ses bras, ses hanches, ses chevilles, lui essuyant le front.

— Oui. Il s'est enfui dans la direction opposée.

— Tu peux te lever ?

Elle hocha la tête et il l'aida à se redresser.

Il tendit les mains en un geste suppliant.

— Ecoute, tu as raison. Je suis un pauvre type. Je te demande pardon.

Elle fixa les grandes mains qui lui avaient dispensé tant de plaisir la nuit précédente. Ces mains extraordinaires qui signeraient sûrement sa perte.

— Je n'avais pas le droit de te parler ainsi, enchaîna-t-il. Ni à personne, du reste.

Elle savait qu'elle devait garder ses distances ou, même sous cette pluie diluvienne en pleine jungle, ils étaient perdus.

— J'ai probablement eu une réaction excessive, dit-elle. Mais je commence à en avoir ras le bol de cet endroit maudit !

Elle tenta d'essuyer son visage avec les pans de son chemisier, mais lui aussi était tout boueux.

— Comment te le reprocher ? Moi aussi, il m'arrive d'en avoir assez. Et puis je ne sais pas ce qui me prend… Je ne pense plus qu'à l'intervention suivante, à la suivante, à la suivante, et je vais au bout de mes limites. Demande aux autres. Mais cela n'excuse pas ma rudesse. Je ne devrais pas m'adresser ainsi à quiconque. Jamais. Surtout à toi. Rentrons au pavillon, s'il te plaît.

Il tendit la main vers elle, mais quand ses doigts tièdes s'enfoncèrent dans son bras froid et humide, elle recula.

Elle ne *pouvait pas* capituler comme ça.

Elle ne lui reprochait pas tant son comportement brutal que de l'avoir repoussée. A deux reprises.

— Jason, qu'est-ce que je représente pour toi ?

— Je… j'ai besoin de toi, tu le sais…

Pendant un instant, elle crut qu'il parlait d'un besoin physique, voire même affectif, mais elle comprit son erreur lorsqu'il poursuivit :

— Ruth parle un espagnol scolaire, et l'anglais d'Angelica est spécial. Tu es la seule à maîtriser les deux langues. Ton rôle est crucial pour notre mission.

— Ce n'est pas ce que je veux dire, et tu le sais. Qu'éprouves-tu pour moi ?

— Comment peux-tu me poser cette question après la nuit dernière ?

— Comment puis-je ne pas te la poser après la façon dont tu t'es comporté avec moi ?

Elle faillit ajouter « aujourd'hui », mais se ravisa. Elle ne parlait pas seulement de l'incident d'aujourd'hui, mais en général. En général, Jason ne la traitait pas comme elle voulait être traitée par l'homme qui était devenu son amant.

Mais était-elle équitable ?

Après tout, il était venu ici pour aider ces malheureux, pas pour courtiser une femme. Et il travaillait plus dur que n'importe quel membre de l'équipe. Le fait qu'ils soient devenus amants était purement accidentel.

A moins que… Oh, elle ne savait plus ! Tout était si confus dans sa tête.

— Angelica a raison. Je peux être un *asqueroso*

parfois. Ce n'est pas bien, mais il arrive que le stress l'emporte.

— Nous avons déjà abordé cette question, trancha-t-elle en se détournant.

Il lui emboîta le pas, mais comme il glissait un bras autour de ses épaules, elle se raidit.

— Alors, qu'est-ce qu'il y a ? demanda-t-il d'un air étrangement vulnérable. Je vois bien que tu m'en veux encore. Laisse-moi te prendre dans mes bras, je t'en prie. Nous sommes fatigués. Nous n'avons pas beaucoup dormi la nuit dernière…

Alors qu'elle hésitait entre la colère et l'abandon, il l'attira contre lui et elle se laissa aller. Elle ne l'avait pas remarqué avant, mais la pluie avait cessé, et un profond silence les entourait.

Ils étaient trempés et moites de sueur, mais cela n'avait pas d'importance. Elle eut l'impression que son cœur se mettait à chanter quand il posa les lèvres sur sa tempe humide.

— Merci, murmura-t-il.

Elle ferma les yeux, grisée par l'odeur de sa chemise mouillée, le parfum de sa peau tiède, la chaleur du soleil de fin d'après-midi qui perçait la canopée au-dessus de leurs têtes. Des oiseaux gazouillaient, pépiaient, piaillaient, sifflaient, voletant dans les hauteurs des grands arbres dégoulinants d'eau.

Ouvrant les yeux, Kendal scruta le tapis de feuilles détrempées qui recouvrait le sol boueux en songeant qu'elle était vraiment loin de tout. Puis elle chercha le regard bleu de Jason qui, soudain, lui parut radieux, ardent. Etait-ce dû à l'étrange lumière qui régnait dans la jungle ? Toujours est-il qu'il semblait rayonner dans le halo doré qui les enveloppait.

— Kendal..., chuchota-t-il d'une voix sourde, et son menton râpeux lui frotta la joue. Je ne peux pas m'empêcher de te toucher... Je regrette que tout ça ait commencé ici, où je n'ai pas de temps pour toi...

Baissant la tête, il embrassa un coin de sa bouche puis ses lèvres prirent possession des siennes. Leurs bouches s'effleurèrent d'abord avant de se trouver avec une frénésie passionnée.

Ils se séparèrent, le temps de reprendre leur souffle, mais la passion, de nouveau, les emporta.

La voix rauque de Jason, la façon dont il avait murmuré son nom, comme une prière, et maintenant ce baiser... Kendal n'eut plus aucun doute. Que cela lui plût ou non, il commençait à tenir à elle.

Leur baiser se fit plus profond, plus intense. Les mains sur ses reins, il la plaqua contre lui.

— Jason ! haleta-t-elle, lui explorant le cou de sa bouche brûlante.

— Oui, mon ange, répondit-il, les lèvres au creux de son décolleté. Dis-moi. Dis-moi ce que tu veux...

— Toi, souffla-t-elle. C'est *toi* que je veux.

— Et je te veux aussi, murmura-t-il. Viens me retrouver ce soir... Dis-moi que tu viendras...

Elle eut envie de dire oui, mais elle savait qu'une fois le désir assouvi, ou s'il se montrait de nouveau distant et dur, elle le regretterait.

Il dut sentir son hésitation car il desserra son étreinte, se contentant de la tenir d'une main légère.

— Kendal, je dois me montrer honnête avec toi. Je n'ai jamais rien éprouvé de tel et ça me fait peur.

— Parce que tu as perdu… Amy ? demanda-t-elle, se jetant à l'eau.

Les yeux dans les siens, il acquiesça.

— Que s'est-il passé ?

— Je ne peux pas en parler et retourner ensuite opérer comme si de rien n'était. Je te demande juste de me croire quand je te dis que j'ai déjà essayé d'aimer, et que ça n'a pas marché. Je ne suis pas sûr d'être encore capable d'amour. Ne t'attache pas à moi, Kendal, je ne suis pas un homme pour toi.

Elle s'accrocha à lui, noua les bras autour de son cou, refusant l'évidence. Non. Il devait au moins essayer, leur donner une chance de tomber amoureux. Mais était-ce de l'amour ? Le fait est qu'elle n'avait jamais rien ressenti de tel avant lui.

Ou n'était-ce qu'une alchimie purement sexuelle, une simple attirance physique ? Mais là encore, c'était la première fois qu'elle désirait un homme à ce point.

— Je ne crois pas que je pourrai sortir avec un homme incapable de m'aimer…

Elle se dit qu'elle était courageuse d'avoir cette franchise, mais au fond, elle savait qu'elle était lâche. Elle ne voulait pas être avec lui, et elle ne voulait pas être sans lui.

Il lui prit la main.

— Très bien. J'accepterai ta décision.

— Ce n'est pas que je ne veuille pas de toi, mais…

— O.K., mon cœur. Je n'ai jamais forcé une femme.

Et je ne le ferai jamais. La balle est dans ton camp maintenant que tu sais à quoi t'en tenir. Nous devons retourner auprès des patients à présent.

Il leva la tête et scruta les frondaisons vertes qui scintillaient au soleil.

— Heureusement que le soleil est revenu, remarqua-t-il. Je n'étais pas très sûr de l'endroit où nous nous trouvions…

— Tu veux dire que nous aurions *vraiment* pu nous perdre ?

— Sois réaliste, commenta-t-il avec son sourire de prédateur.

Il l'entraîna sur le chemin du retour, prenant les bons embranchements sans hésiter une seule fois. Il avait vraiment un sens de l'orientation infaillible. Sauf dans ses rapports amoureux, songea-t-elle.

— Vas-tu retrouver ta mauvaise humeur une fois là-bas ?

— Je ne serai plus jamais de mauvaise humeur, répondit-il avec un sourire contrit.

Un mensonge pieux, bien sûr, elle le savait. Mais pour l'instant, il lui tenait la main, chaleureux et protecteur. Rassurant.

— Plus que deux opérations aujourd'hui, observa-t-il d'un ton joyeux maintenant que la paix était revenue entre eux. Et puis j'aurai une surprise pour toi.

La surprise arriva de San Cristobal, apportée par Ben. Jason lui avait donné l'argent pour acheter des crayons de couleur, du papier, des ciseaux, de la colle, des livres de contes, des jeux de construction, et même un petit lecteur de CD avec des disques pour enfants. Il y en avait pour tous les enfants, mais Kendal savait que Jason avait d'abord pensé à Miguel.

Tous deux étaient assis sur le lit de Kendal et jouaient avec le petit garçon quand Ruth entra en trombe.

— Chef, nous avons un problème avec la blessure de M. Alvarez.

— M. Alvarez ? répéta Kendal. Vous voulez dire qu'il a été opéré ?

— J'arrive dans un instant, Ruth.

— Même s'il a donné sa place à un autre ? insista Kendal.

— Oui, je l'ai opéré, répondit Jason quand Ruth s'en alla. Et j'aimerais autant que ça ne se sache pas.

— Mais quand ?

— Ce matin, avant le lever du jour.

— Tu as fait cette intervention à la lueur des lampes portatives ?

— J'ai pas mal louché.

Elle le fixa, incrédule. Comment pouvait-il plaisanter ainsi ? Après lui avoir fait l'amour toute la nuit, il était resté éveillé pour pratiquer une intervention chirurgicale sur ce malheureux vieillard !

Pas étonnant qu'il ait été de mauvaise humeur.

Et si Jason avait réalisé cette opération, ça signifiait que les autres membres de l'équipe avaient aussi eu une nuit écourtée.

— Pourquoi ne m'a-t-on rien dit ? dit-elle, indignée. J'aurais pu vous aider.

Et dire qu'il l'avait raccompagnée à l'hôtel et l'avait pratiquement bordée dans son lit !

— C'est précisément pour ça que je ne voulais pas que tu sois au courant. Je ne tiens pas à ce que tu restes debout toute la nuit à te tuer à la tâche.

— Et pourquoi ? Je peux le faire, si vous y parvenez.

— Alors que tu vas déjà à la limite de tes forces en t'occupant de Miguel ? Tu as besoin de te reposer, Belle au bois dormant, ajouta-t-il en souriant. Surtout maintenant que le prince t'a réveillée d'un baiser…

12.

Angelica vint retrouver Kendal pendant que Jason et Ruth soignaient M. Alvarez.

— C'est gentil à Jason d'avoir apporté toutes ces choses aux enfants, remarqua-t-elle.

Kendal devina que la grande Mexicaine avait autre chose en tête.

— Jason est gentil, répondit-elle prudemment.

— C'est un type compliqué.

Prétendre qu'elle ne savait pas de quoi Angelica parlait aurait été stupide.

— Vous pensez que je ne devrais pas sortir avec lui, n'est-ce pas ?

— Je pense que vous ne savez pas où vous mettez les pieds.

— Vous connaissez bien Jason ?

— Nous n'avons jamais été amants, si c'est le sens de votre question, Kendal. Mais je suis son amie depuis son premier voyage au Mexique. Je l'ai vu sortir avec beaucoup de femmes. Et je sais sur lui des choses que vous devriez savoir.

Kendal attendit en silence qu'elle poursuive.

— Vous a-t-il parlé de sa petite amie ? Celle qui est morte ?

Le cœur de Kendal se mit à battre plus vite.

— Vous voulez dire Amy ?

— Oui. Amy. Elle n'est pas morte n'importe comment. Elle s'est tuée.

Incrédule, Kendal secoua la tête.

— La famille de Jason possédait une grande demeure à Dallas. A l'époque, Jason était une star du football et un grand amateur de fêtes. Il paraît que les enfants américains sont très gâtés.

— C'est vrai pour certains, commenta Kendal qui se trouvait privilégiée depuis qu'elle connaissait le Mexique.

— Un soir, la grande maison a pris feu, alors que Jason et Amy se trouvaient à une soirée. Le *padre* et la *madre* de Jason étaient chez eux. Quand Jason et Amy sont rentrés, la demeure était déjà en flammes. Il a cru que ses parents étaient à l'intérieur et il a voulu aller les chercher. Je ne connais pas tous les détails car il m'en a parlé après avoir descendu une bouteille de tequila, mais je sais qu'il est entré dans la maison et qu'Amy l'a suivi.

Angelica poussa un profond soupir.

— Il en est sorti indemne, mais Amy a été grièvement brûlée et affreusement défigurée. Un drame qu'elle n'a pas supporté… Deux ans plus tard, alors que les parents de Jason étaient en pleine procédure de divorce, elle a avalé un flacon entier de somnifères…

— Oh, Angelica, murmura Kendal, épouvantée.

L'histoire était encore pire que ce qu'elle avait imaginé. Voilà qui expliquait le comportement insensé de Jason, son côté hanté… et son froid détachement.

— J'ignore pourquoi je vous raconte tout ça, reprit Angelica. Jason sera furieux s'il découvre que je vous l'ai dit. Je crois qu'il s'est confié à moi parce que je ne représente aucun danger pour lui. Ici, au Mexique, je ne peux en parler à personne. Seulement, depuis que je le connais, jamais je ne l'ai vu se comporter comme il le fait avec vous. Jamais je ne l'ai vu regarder quelqu'un comme il vous regarde. J'ai pensé que vous deviez le savoir.

— Je suis contente que vous me l'ayez dit, répondit Kendal. Cela m'aide à le comprendre.

En même temps, elle songea que comprendre Jason était une chose. L'aimer, et *être aimée* de lui en étaient une autre.

— Est-ce que la mère du petit garçon est revenue ? demanda Jason à Kendal, deux jours plus tard, après une nouvelle journée bien remplie.

Miguel était très occupé à colorier, ses petites mains palmées agrippées au crayon de couleur. Kendal trouvait ses dessins de silhouettes stupéfiants pour un enfant aussi jeune. Mais elle s'inquiétait surtout quand il se mettait à lacérer le papier avec le crayon rouge en poussant des hurlements.

Elle secoua la tête avec tristesse.

— Tu avais raison quand tu m'as dit qu'elle ne reviendrait pas, j'en ai peur.

— Je ne toucherai pas cet enfant sans autorisation, et je veux un parent auprès de lui après l'intervention.

— Et si elle ne revient pas ?

Il fit la grimace.

— Alors, je suppose que tu devras l'adopter.

— Je pourrais, répondit-elle sérieusement, consciente que sa tendresse pour Miguel s'approfondissait à chaque heure qui passait.

— Je te l'ai dit, Kendal. Ne t'attache pas à ces enfants. Ils doivent rester avec leur peuple.

Pendant deux jours, Kendal avait guetté un signe de Lucia, espérant la voir surgir à l'orée de la jungle. Quand elle avait parlé d'elle à deux vieilles femmes du village, la petite main de Miguel avait agrippé la médaille de sainte Lucie.

— C'était à elle, avait-elle expliqué aux indigènes en leur montrant le bijou.

A la vue de la médaille, elles avaient eu une expression horrifiée.

— La fille de Varajas…, avait balbutié l'une d'elles en portant la main à sa bouche.

Kendal leur avait demandé des précisions, mais les *curanderas* avaient refusé de lui répondre. Elles avaient reculé loin de Miguel comme s'il était un pestiféré, et n'avaient plus dit un mot.

Kendal chargea donc Ben de découvrir tout ce qu'il pouvait sur Varajas. Et dès le lendemain, il lui faisait son rapport.

— Un homme épouvantable. Un criminel… Il se cache dans les montagnes, et terrorise les habitants des villages. Miguel est son petit-fils. C'est pour ça que les indigènes évitent le petit. Lucia n'était pas censée l'amener ici car Varajas ne voudrait pas qu'on l'opère. Il ne veut même pas qu'on voie l'enfant.

— Mais pourquoi ?

— D'après la rumeur, il ressemble à son petit-fils et souffre des mêmes malformations. Les indigènes croient que l'enfant est maudit.

Quand Kendal rapporta cela à Jason, il se tourna vers Ruth, le visage durci.

— Nous opèrerons Miguel à la première heure demain matin… Tu devras nous aider, Kendal.

— Je ferai tout ce que tu me diras.

L'intervention commença dès le lever du soleil. La réparation des petites mains se fit relativement vite.

— Il tient bien le coup ? demanda-t-il à Angelica.

— Très bien.

Jason entreprit ensuite d'arranger le maxillaire et le nez minuscule. En une semaine, Kendal s'était habituée à la vue du sang, même si elle avait encore du mal à supporter certains aspects de la chirurgie. Mais elle se maîtrisa et fit tout ce qu'elle put pour aider Jason et Ruth et, en dépit des difficultés, Jason réalisa sur l'enfant un travail remarquable.

— Comment réagit-il ? s'enquit-il auprès d'Angelica qui vérifiait le pouls et la tension de Miguel à intervalles réguliers.

— C'est un petit tigre.

— Alors, nous allons continuer et finir avec son palais et ses lèvres…

Les dernières réparations s'effectuèrent le mieux du monde.

— Pour la rectification des cavités oculaires, il faudrait l'emmener à Integris, dit-il à Kendal, l'intervention achevée.

— J'aimerais que nous puissions le ramener avec nous aux Etats-Unis.

Il lui jeta un regard empreint de compassion.

— Je ne crois pas que sa mère reviendra.

Elle secoua la tête d'un air désolé.

Pendant les jours qui suivirent, toute l'équipe se mobilisa autour du petit Miguel, comme les membres d'une famille. Chaque détail concernant ses soins était soigneusement soupesé, longuement discuté. Mesurer le dosage du Paroveen se révéla particulièrement délicat. Sur un enfant aussi jeune, il devait en effet être minutieusement dosé.

Toutefois, malgré les précautions, le bébé commença à présenter une décoloration inquiétante de la peau.

— Nous devons quand même augmenter la dose, insista Jason.

— Mais nous ne l'avons pas encore testé à des quantités aussi élevées, protesta Kendal.

— Je dois impérativement limiter l'œdème.

Kendal s'occupait du bébé nuit et jour et, s'il se montrait grincheux et irascible, il semblait bien se rétablir. Mais le troisième jour après l'opération, Miguel eut une grosse poussée de fièvre.

Kendal dormait profondément pour la première fois depuis longtemps quand on la réveilla en sursaut.

— *Chica ! El bebe !* Elles l'emmènent !

C'était l'une des vieilles femmes du village. Son visage parcheminé était marqué par l'inquiétude.

— Quoi ?

— L'enfant. Elles l'emportent. A cause de la marque, chuchota-t-elle.

Sautant du lit, Kendal enfila ses sandales et courut dans le couloir.

Dans la salle obscure où reposaient les jeunes patients, deux infirmières indigènes étaient penchées sur Miguel qui gisait, le corps flasque, le front écarlate. L'une frottait les jambes de l'enfant avec un vieil os pendant que l'autre enveloppait le petit corps dans les draps dans l'intention évidente de l'emporter.

— Nous devons l'éloigner des autres, dit la première.

— Le bébé est brûlant, répliqua l'autre en se signant. A cause des péchés du grand-père.

— Arrêtez ! cria Kendal, les écartant sans ménagement pour poser la main sur le front brûlant de Miguel.

— La marque ! protesta une des indigènes en repoussant la jeune femme.

La colère envahit Kendal quand elle prit conscience que les deux vieilles femmes n'avaient rien tenté pour venir en aide à l'enfant, tout simplement parce qu'elles étaient effrayées par les rougeurs qui marbraient sa peau.

— Les marques rouges sont dues au médicament que

nous lui administrons ! *Llame el medico !* ordonna-t-elle en commençant à éponger le petit corps en nage. Allez chercher le médecin !

Mais les deux femmes secouèrent la tête.

— La mère, et maintenant l'enfant, dit l'une.

— De quoi parlez-vous ? demanda Kendal, excédée.

— Sa mère. On l'a trouvée morte dans la forêt.

Kendal faillit fondre en larmes à l'annonce de l'horrible nouvelle, mais se ressaisissant avec effort, elle fixa la femme.

— Allez chercher le médecin. Maintenant !

Les deux indigènes disparurent.

Quelques instants plus tard, Jason faisait irruption dans la pièce.

— La fièvre peut-elle être une nouvelle réaction à un plus fort dosage de Paroveen ? demanda-t-elle.

— C'est plus vraisemblablement une infection postopératoire, répondit-il en remettant immédiatement Miguel sous perfusion.

Pendant qu'elle le rafraîchissait, Jason changea les pansements et examina les incisions à la recherche d'une éventuelle infection. Enfin, au bout d'une heure d'efforts, la température de l'enfant commença à baisser.

— Tu opères tôt demain matin, je vais rester avec lui, dit Kendal.

— Je vais dormir ici…

Peu de temps après, il revenait avec son sac de couchage et il s'allongea par terre.

Pendant toute la nuit, Kendal veilla sur Miguel.

Au petit matin, Jason ouvrit les yeux en l'entendant fredonner. Assise au bord du lit de camp, elle berçait Miguel dans ses bras en chantonnant doucement, lui rafraîchissant le front avec un linge humide qu'elle trempait dans une bassine. Les cheveux en bataille, elle avait des cernes sombres sous les yeux et son T-shirt trempé de sueur était plaqué sur ses seins. Mais son tendre dévouement pour le bébé le fit fondre.

Levant les yeux, elle vit qu'il était réveillé.

— Il a fini par boire un peu de Coca-Cola, dit-elle.

Elle sourit, et il songea qu'il n'avait jamais rien vu de plus beau de toute sa vie.

Le lendemain, Kendal fut terrassée à son tour par la fièvre.

Angelica courut chercher Jason.

— C'est probablement dû à un virus local, dit-elle. C'est fréquent par ici.

Il acquiesça d'un signe de tête et s'empressa de se désinfecter les mains à l'alcool.

— Le bébé va déjà mieux, mais Kendal n'a pas la même résistance, remarqua Angelica.

Jason se tourna vers elle.

— Je m'occuperai d'elle moi-même. Suspendez les dernières opérations de la journée.

Il trouva Kendal dans le même état de sommeil fiévreux que Miguel la nuit précédente.

Fermant les volets, il ordonna à Angelica de sortir.

— Je suis assez forte pour résister au virus, murmura-t-elle. Et vous ?

— C'est ma faute si elle en est là. Je me sens responsable d'elle, dit-il sans quitter Kendal des yeux. Je n'aurais jamais dû l'amener ici, au risque de mettre en danger sa santé.

— Vous ne pouviez pas deviner ce qui arriverait.

— Apportez-moi de quoi préparer des perfusions. Non, je n'aurais jamais dû l'amener ici…

« Et je n'aurais jamais dû la séduire, je n'aurais jamais dû m'attacher à elle », ajouta-t-il mentalement.

Pourtant, pendant sa longue veille au chevet de Kendal, Jason se rendit compte qu'il était à sa merci.

Et tous les soins qu'il lui prodigua — quand il posa l'intraveineuse dans la chair tendre de son bras, bassina son corps, lui souleva la tête pour lui faire avaler un peu d'eau, ou surveilla sa respiration — ne firent que la lier plus étroitement à elle.

Les heures passées à contempler son beau visage assoupi le gravèrent à jamais dans son esprit. Mais ce qui toucha le plus son cœur, ce furent ses questions angoissées sur Miguel pendant qu'elle grelottait de fièvre.

Le deuxième jour, elle devint si agitée que Jason accepta de lui amener Miguel, et Ruth coucha le bébé près d'elle.

Bien remis de son opération, Miguel tapota le visage de la jeune femme de ses petites mains bandées, ses yeux noirs étincelant au milieu des volumineux pansements.

Malgré sa faiblesse, Kendal parut immédiatement

aller mieux, soulagée de voir l'enfant en bonne voie de guérison. Et quand des larmes glissèrent au coin de ses yeux, Jason prit conscience qu'elle lui était devenue infiniment précieuse.

— Comment ça, l'enfant est malade ? rugit Benicio Varajas.

— Une vieille *curandera* de Chamula m'a dit qu'elle l'avait vu grelotter de fièvre, répondit Flaco.

Il commençait à en avoir assez de jouer les espions pour Varajas. Assez de regarder le docteur *gringo* s'amuser avec la *gringa* qui partageait sa couche.

— La *curandera* savait qui était l'enfant ?

— Elle a remarqué la médaille de Lucia au cou de la femme qui s'occupait du petit.

Varajas jura.

— Ma tête de mule de fille ! L'imbécile... Je n'aurais jamais dû la laisser mettre le pied hors de l'hacienda.

— Le docteur *gringo*, il a opéré Miguel...

— Je t'ai dit de ne plus jamais prononcer son nom ! Je ne veux plus entendre parler du bâtard de ce serpent puant de *zapatista* qui a mis ma fille enceinte !

— *Disculpe,* murmura Flaco. Mais j'ai quelque chose de très important à vous dire. *El medico norte-americano,* il a réparé le visage de l'enfant.

Les sourcils de Varajas se haussèrent, indiquant l'intérêt qu'il portait à cette information.

— Je ne l'ai pas encore vu, reprit Falco. A cause des bandages, vous comprenez. Mais les employés du vieil hôtel disent que cet homme fait des miracles… Encore une chose, *El Capitan,* il y a beaucoup de drogues dans leur hôpital de fortune.

— Je ne veux pas y toucher. On a toujours les fédéraux sur le dos quand on vole des produits pharmaceutiques américains. La cupidité vous aveugle, vous autres, paysans du Chiapas. Si nous dévalisons un de leurs campements, les gens de Médecins sans frontières ne manqueront pas de lancer les autorités internationales à nos trousses.

— Non, *Capitan*. Le docteur n'est pas avec eux. Il travaille seul. On peut s'emparer du campement.

— Je vois…, commenta Varajas en tapotant pensivement son menton, ses lèvres difformes esquissant un sourire hideux. Dans ce cas, les médicaments nous seraient peut-être utiles, après tout. Nous pouvons atteindre le gamin de cette façon. Mais je ne veux pas qu'on touche à un seul de ses cheveux car le gosse pourrait se révéler très utile dans un avenir proche.

— Je ne comprends pas, *Capitan*.

— Tu m'as bien dit que cette *gringa* aimait bien le bébé et que le docteur *gringo* et cette femme étaient amants ?

— *Si*.

Alors, je veux récupérer mon petit-fils. Nous aurons peut-être besoin de lui…

L'infection virulente dont avait été victime Kendal lui avait fait perdre du poids, et Jason dut déployer des trésors d'imagination pour la faire manger. Il alla même jusqu'à envoyer Ben à San Cristobal chercher de la cuisine américaine. Aujourd'hui, il avait prévu de lui servir du poulet frit, son plat préféré.

— Vous êtes sûr de pouvoir vous passer de moi ? demanda Ben, conscient qu'ils étaient débordés à cause du retard pris pendant la maladie de Kendal.

— Allez-y. Il faut qu'elle mange. Prenez la jeep de Viljo. Ça ira plus vite.

A peine Ben eut-il disparu que les voleurs surgirent apparemment de nulle part. Trois hommes dont le visage était dissimulé sous des passe-montagnes ou des fichus crasseux.

Postés à l'entrée du pavillon, ils braquèrent leurs fusils d'assaut sur l'équipe médicale, et le plus gros des trois leur ordonna en espagnol de lever les mains.

Jason jura. Il était plongé jusqu'aux coudes dans la résection compliquée d'une cicatrice de brûlure et l'intervention de ces salauds ne pouvait pas tomber plus mal.

Ruth jeta un linge stérile sur les blessures du patient inconscient sur la table puis se plaça de façon à le cacher.

— Donnez-nous tous vos médicaments, ordonna l'obèse.

— Vous plaisantez, mon vieux, grommela Jason en anglais.

Les deux autres brigands étaient déjà en train d'explorer la pièce, examinant rapidement les patients couchés dans les lits.

— Eloignez-vous de mes malades, leur commanda Jason en espagnol.

Levant ses gants rougis de sang, il se planta entre Ruth et la ligne de feu, et remercia silencieusement le ciel que Kendal et Miguel soient en sécurité à l'hôtel.

— Que voulez-vous ? J'ai un patient dans un état critique.

— Les drogues, répondit le gros homme.

Angelica désigna le porte-clés qui pendait à sa ceinture.

— Il faut que j'ouvre le placard des narcotiques.

— Allez-y.

Pendant qu'elle s'y employait, l'homme pointa son arme vers les caisses de Merrill Jackson empilées sous une table.

— Qu'est-ce que c'est que ça ?

— Des vaccins et des antibiotiques, répondit Angelica en lui tendant les narcotiques. Aucun intérêt pour vous.

— Flaco ! cria le plus grand à son comparse après avoir dévisagé tous les patients. Il n'est pas là.

Le gros homme braqua son fusil sur Jason.

— Miguel Varajas… où est-il ?

— Ces malades ne sont pas votre affaire, répliqua Jason.

Il fit un pas vers lui, mais le scélérat le menaça de son arme.

— Celui-là, si. Il est des nôtres. C'est le fils d'un *zapatista*. Nous l'emmenons avec nous.

Au-dessus du masque chirurgical, les yeux affolés de Ruth volèrent vers l'hôtel une fraction de seconde. Mais cela suffit à renseigner leurs agresseurs.

— Il est là, dit le plus grand en désignant l'hôtel du canon de son fusil. Allons-y.

Ils dévalèrent l'escalier de bois, poursuivis par Jason.

— Arrêtez ! cria-t-il.

Un des voleurs se retourna pour lui tirer dans les jambes puis ils s'engouffrèrent dans le vieil hôtel.

Retournant au pavillon, Jason se débarrassa de ses gants et, prenant son revolver dans son sac, il repartit vers l'hôtel en courant.

Les hurlements de Kendal et Miguel le propulsèrent littéralement à l'intérieur. Dans l'escalier du hall, un des bandits masqués immobilisait la jeune femme pendant qu'un autre tentait de lui arracher Miguel, le troisième pointant son arme sur eux.

— Laissez le bébé, ordonna Jason, les menaçant de son revolver.

Un bandit se retourna et fit feu sur Jason qui esquiva le tir puis riposta. L'homme tomba dans l'escalier en se tenant l'épaule.

Au même instant, ses deux acolytes parvinrent à arracher un Miguel terrorisé des bras de Kendal. Elle se débattit comme une tigresse, mais un des hommes la saisit par la taille pour l'écarter de l'enfant.

Jason bondit, prêt à faire feu, mais ils utilisaient leurs otages comme boucliers. Un brigand colla le canon de son arme contre la tempe de la jeune femme pendant que son complice aidait leur camarade blessé à se relever.

— Rendez-nous l'enfant et je vous donnerai tous

les médicaments que vous voudrez, dit Jason, son automatique toujours pointé sur eux.

— Non, nous ne partirons pas sans lui, répliqua l'obèse dans un espagnol saccadé. Il appartient à son peuple. Baissez votre arme, docteur, ou nous reviendrons plus nombreux et nous tuerons tout le monde dans ce campement. Soignants et patients...

Miguel, qui avait depuis peu commencé à prononcer ses premiers mots, poussa un cri terrifié qui ressemblait à « Chancho », ses grands yeux noirs fixés sur le visage masqué du gros homme.

Au-delà de la terreur immédiate, un soupçon commença à s'insinuer dans l'esprit de Jason. Ces hommes n'étaient pas des *zapatistas*.

Pourquoi ceux-ci porteraient-ils un tel intérêt à un bout de chou maigrichon qui aurait besoin de soins médicaux complexes pendant des années ? Les yeux de l'obèse lui semblaient familiers, mais il n'arrivait pas à déterminer où il l'avait vu.

— Qu'est-ce qu'il a dit ? demanda-t-il à Kendal pour s'assurer qu'il avait bien compris les conditions fixées par le bandit.

— Si nous ne les laissons pas emmener Miguel, ils reviendront en force pour tuer tout le monde, répliqua-t-elle d'une voix qui se brisa. Ils veulent que tu lâches ton arme.

Jason savait qu'ils n'hésiteraient pas à mettre leur menace à exécution, la région étant le théâtre de massacres et de violences de toutes sortes depuis des années. Il n'avait pas le droit de mettre en danger tous ces innocents pour un seul enfant, même adoré de Kendal. Lentement, il abaissa son revolver.

— Non ! hurla Kendal en s'agrippant à Miguel qui essaya de nouer ses petits bras autour de son cou.

Les trois hommes la repoussèrent brutalement pour reprendre l'enfant.

— Kendal, laisse-le partir, dit Jason d'une voix calme et, glissant un bras autour d'elle, il l'attira fermement à lui. S'il se débat, il risque de déchirer ses points de suture.

Kendal et Miguel tendaient les bras l'un vers l'autre avec un désespoir pathétique, mais Jason ne lâcha pas la jeune femme.

— Miguel ! sanglota-t-elle en voyant les trois hommes s'enfuir avec leur otage.

La maintenant contre lui, Jason lui caressa doucement les cheveux.

— Nous ne pouvions rien faire d'autre, Kendal.

— Mais c'est le fils de Lucia… Et je lui ai promis de prendre soin de lui…

— Il a aussi un père quelque part. Ces hommes le connaissent peut-être.

— Et si c'est lui qui a tué Lucia ? riposta-t-elle, le foudroyant du regard. Manifestement, ces hommes sont des monstres, des criminels, pour menacer de tuer des patients innocents. Ils ne soigneront probablement même pas Miguel. Ils se moquent que ses plaies guérissent correctement.

— Tu n'en sais rien, Kendal. Ce n'est pas parce qu'ils nous ont volé des médicaments qu'ils maltraiteront

Miguel. Il y a des sorciers traditionnels mayas dans les hautes terres.

A cet instant, Angelica et Ruth arrivèrent en courant, et Viljo sortit de la cachette où il se terrait depuis l'irruption des bandits.

— Vous devez partir *pronto, El Medico*, dit-il précipitamment. Et emmenez vos infirmières. La présence des *Americanos* est dangereuse.

— Il a raison, intervint Angelica. Vous devez immédiatement quitter le campement. Il va falloir conduire les patients en ville ou les renvoyer dans leurs familles. Ces hommes n'étaient pas des *zapatistas,* mais des gangsters qui voulaient nous intimider. Maintenant que vous avez blessé l'un d'eux, ils vont vouloir se venger et se serviront de ça pour alimenter la lutte entre les factions.

— Et Ben ? questionna Ruth.

Le portable de Ben ne répondait pas. Apparemment, il se trouvait dans un endroit qui n'était pas couvert par un réseau.

— Et Miguel ? renchérit Kendal, son visage hagard barbouillé de larmes. Je *refuse* de l'abandonner !

— Angelica a raison. Il faut partir d'ici, intervint Jason. Mais je dois d'abord recoudre mon patient.

— Je m'en charge, dit Angelica. Ce ne sera pas la première fois que je jouerai au médecin. Nous ferons parvenir un message à Ben lui demandant de rester avec les missionnaires de San Cristobal.

Ils se contentèrent de prendre les instruments de Jason, n'ayant pas le temps de charger le matériel médical. Viljo ne les laissa même pas emporter leurs affaires personnelles. Sautant dans la camionnette qui s'ébranlait déjà, Jason cria à Angelica ses instructions de dernière minute concernant les patients.

Le visage crispé de terreur, le jeune Alejandro conduisit aussi vite qu'il put sur le chemin défoncé qui menait à la grande route.

Leur avion avait quitté Tuxtla Gutiérrez depuis plusieurs minutes quand Jason prit conscience que Kendal s'était repliée sur elle-même. Depuis le décollage, elle n'avait pas dit un mot, triturant la médaille de sainte Lucie qui pendait à son cou, les yeux fixés sur le panorama grandiose qui se déroulait sous leurs pieds.

— Kendal, je regrette pour Miguel…

— *Chancho*, murmura-t-elle. C'est le mot employé par Lucia, ce soir-là, dans la grotte. Pourquoi voudraient-ils cet enfant, Jason ?

Jason n'osa pas répondre à la question. Malgré ses paroles rassurantes sur le père du bébé et les « bons » sorciers de la jungle, il redoutait le pire pour Miguel.

Dans le pavillon, l'obèse l'avait appelé Miguel Varajas. L'avait-il enlevé pour le compte de Benicio ? L'homme était connu pour utiliser les enfants afin de servir ses plans machiavéliques, mais il n'était pas question d'inquiéter davantage Kendal.

— Je ne sais pas, dit-il.

— Je ne te reproche pas ce qui s'est passé, reprit-elle,

étrangement distante. C'est ce pays qui est responsable. Je regrette de t'avoir accompagné ici.

— Mais si tu n'étais pas venue, nous ne nous serions peut-être pas connus, objecta-t-il dans l'espoir qu'il n'était pas trop tard pour lui avouer combien cela comptait pour lui.

— C'est ça le pire, Jason… A quoi cela a-t-il servi ? Il n'y aura jamais aucun avenir pour nous.

Elle le regarda, puis un soupir lui échappa, comme si elle prenait subitement conscience de quelque chose.

— Tu m'avais pourtant prévenue de ne pas m'attacher. A toi ou à Miguel.

Elle se tourna vers le hublot, l'expression lointaine.

— J'aurais dû t'écouter, Jason. Et je n'aurais jamais dû venir au Mexique.

13.

De retour dans l'Oklahoma, leur odyssée pour échapper aux insurgés du Chiapas fit l'objet d'une couverture médiatique sans précédent. La photo de Jason fit la une du *Daily Oklahoma*, avec des titres racoleurs le qualifiant de « médecin rebelle, héros malgré lui ».

Toutefois, Jason ne se départit jamais de son humour habituel pour répondre aux journalistes, à son personnel, ou à ses collègues admiratifs vaguement envieux.

L'attaché de presse de la clinique avait organisé des interviews en direct à la télévision en demandant à Kendal et Ruth d'être présentes.

Kendal redoutait de revoir Jason, mais elle profita de l'opportunité pour évoquer avec émotion la situation dramatique des enfants du Chiapas devant les caméras. Durant tout ce temps, elle dut faire appel à toute sa volonté pour ne pas regarder Jason, assis à côté d'elle.

Mais elle ne put éviter de percevoir la chaleur qui émanait de lui.

— Je ne peux plus faire ça, déclara-t-elle quand

les projecteurs s'éteignirent après une énième émission.

— La tempête médiatique ne va pas tarder à s'apaiser, répondit Jason.

— Je ne parle pas des conférences de presse. Je ne supporte plus de te voir. Ça fait trop mal… Parce qu'il n'y a pas d'avenir pour nous, expliqua-t-elle. Je te l'ai déjà dit.

Par la suite, ils se revirent à une ou deux reprises, et seulement de loin dans les couloirs de la clinique. Ils se parlèrent une fois, quand Kendal commença à recevoir du courrier électronique de Ben. Elle l'informa que Ben allait bien et qu'il avait décidé de rester au Mexique pour travailler comme missionnaire.

Jason essaya de la joindre, laissant plusieurs messages sur son répondeur, mais elle filtrait ses appels et refusa de lui parler.

Il persista à lui laisser message sur message dans l'espoir de la faire céder, incapable toutefois, pour une raison qu'elle ignorait, de lui dire ce qu'elle voulait entendre.

Aucun message ne disait : « Je t'aime. Tu es la seule et unique pour moi. »

Quand elle voyait son numéro s'afficher sur son répondeur, ou l'inscription « Dr Jason Bridges » figurer comme expéditeur d'un e-mail, son cœur se serrait. Dans la ligne « objet », elle lisait toujours la même chose : « Parle-moi. »

Au début, elle ouvrit son courrier électronique, mais elle ne voulait pas de la solution qu'il proposait : rester amis… et amants.

Parce que son expérience avec Miguel lui avait appris qu'elle était incapable de ne donner qu'une part de son cœur. Maintenant, elle ne voulait plus vivre à moitié. Plus de compromis.

Une chose était sûre, elle ne se satisferait pas d'une relation selon les termes fixés par Jason.

Mais c'était douloureux de penser à lui. La seule évocation de son nom lui faisait mal. Alors, elle effaça tous les messages de son répondeur et de sa boîte aux lettres électronique et s'efforça de se montrer forte.

Il était l'homme de sa vie sur tous les plans, sauf un.

Comment définir l'amour ?

Jason ne cessait de s'interroger. Tant de femmes avaient essayé de lui passer la corde au cou au nom du sacro-saint « amour »…

Mais Kendal n'en faisait pas partie. Kendal était Kendal. Encore et encore, il se demandait ce qui était arrivé à son cœur quand il avait rencontré Kendal Collins.

L'avait-il perdu… ou l'avait-il trouvé ?

Il tenta d'oublier ce qui s'était passé au Mexique. Un endroit bizarre où des choses étranges survenaient.

Comment pouvait-il savoir ce qu'il éprouvait vraiment pour Kendal Collins tant qu'il n'avait pas testé leur relation dans un environnement normal ?

Et pour cela, il fallait au moins qu'ils soient amis. Et s'il avait son mot à dire, il aurait aimé aussi qu'ils soient amants. Jamais il n'avait désiré une femme à ce point. Mais de là à s'engager… Il avait peur car, pour lui, engagement signifiait souffrance. Une souffrance indicible. Encore pire que celle que Kendal lui causait.

Il finit par renoncer à la joindre. Aucun homme ne pouvait accepter indéfiniment de se voir repousser de la sorte.

Une fois, pourtant, il fut pris au dépourvu en la voyant se démener pour faire entrer son ridicule chariot dans l'ascenseur. Impulsivement, il se précipita pour l'aider, et se trouva face à face avec elle au moment où les portes de la cabine se refermaient.

Leurs yeux se rencontrèrent une fraction de seconde avant que les battants métalliques se rejoignent dans un claquement sec, et Jason eut l'impression qu'ils avaient échangé beaucoup plus en ce bref instant qu'en mille ans de discours.

— Kendal, attends ! s'écria-t-il à la dernière seconde.

Mais elle baissa les yeux, refusant d'appuyer sur le bouton d'ouverture des portes, et quand celles-ci se fermèrent, il eut envie de les réduire en miettes.

Les semaines passant, il atteignit des sommets dans l'humiliation : il interrogea leurs relations communes, en particulier Ruth, pour avoir des nouvelles de Kendal.

— Je n'irai pas jusqu'à dire qu'elle est heureuse, dit Ruth un jour où ils se brossaient les bras à la Bétadine devant les lavabos avant d'entrer en salle d'opération.

— Pourquoi ? demanda-t-il avec une feinte nonchalance en se frottant énergiquement les mains.

— Oh, je ne sais pas, répondit Ruth d'un air pensif. Elle a l'air triste. Elle ne s'est peut-être pas remise d'avoir dû abandonner Miguel. Vous savez, elle avait décidé de le sauver après avoir appris la mort de Lucia.

— Elle vous l'a dit ? s'enquit Jason en commençant à se rincer.

— Je l'ai aidée à se renseigner en vue d'une adoption. Nous avons appris que cela allait coûter une petite fortune, mais vous connaissez Kendal, elle ne renonce pas… Elle économise dans ce but en réduisant son train de vie, en vendant sa maison, des choses comme ça. Elle s'est juré de retourner au Mexique le chercher.

— C'est insensé…, commenta Jason, estomaqué, en tenant en l'air ses mains ruisselantes.

Ruth haussa les épaules.

— Peut-être. Mais ce qui la mine n'a peut-être rien à voir avec Miguel. Il est possible qu'elle travaille trop… Toutefois, elle semble malheureuse. Non qu'elle ne se soit pas reprise en main. Elle est superbe ces temps-ci, vraiment… Elle est décidée à ne pas reprendre les kilos perdus au Mexique, et je la vois souvent à la gym.

Il sursauta. Le club de gymnastique d'Integris, bien sûr ! Comment n'y avait-il pas pensé ? Tous les représentants en produits pharmaceutiques en étaient membres. Il pourrait faire semblant de la rencontrer par hasard.

— Quand ?

— Jason, écoutez-moi…, murmura-t-elle avec un regard de reproche. Kendal ne veut plus vous voir. Il est temps pour vous de passer à la conquête suivante.

Il n'eut aucun mal à imaginer son sourire condescendant derrière le masque chirurgical.

— Dites-moi juste quand, Ruth…

Il devina que son sourire s'était effacé et qu'elle pinçait les lèvres.

— Quand va-t-elle au club de gym ? insista-t-il.

— Vous êtes décidé à lui briser le cœur, n'est-ce pas ? demanda-t-elle en se dirigeant vers la salle d'opération.

Il lui emboîta le pas.

— Très bien. Vous êtes virée.

— Oh, parfait…

Elle poussa la porte d'un coup de hanche et la lui tint ouverte.

— Elle ne veut pas vous voir, répéta-t-elle, assez fort cette fois pour que toute l'équipe chirurgicale l'entende.

Mais elle dut se sentir coupable car elle ajouta dans un souffle :

— Généralement vers 8 heures.

Aussi, la semaine suivante, Jason s'arrangea-t-il pour se trouver au club de sport chaque soir, vers 8 heures moins le quart.

Il harcela son ami, le Dr Mike Lewis, pour qu'il fasse avec lui plus de parties de squash que d'habitude, et souleva des poids dans la salle d'haltérophilie. Il alla même jusqu'à s'attarder, tel un pervers, devant le vestiaire des femmes, faisant semblant d'attacher ses lacets.

Il vit entrer et sortir un flot incessant de créatures de toutes sortes. Mais pas Kendal.

— As-tu vu Kendal Collins récemment ? demanda-t-il finalement à Mike en fin de semaine.

Ils se trouvaient dans la salle de cardio-training. Côte à côte sur des tapis de course identiques, un casque audio sur la tête, ils regardaient la diffusion d'un ennuyeux tournoi de golf tout en courant à petites foulées. Mais jogging ou pas, cela n'apaisait en rien Jason dont le stress atteignait des paroxysmes quand il pensait à Kendal.

— Qui ? haleta Mike qui n'avait pas la forme physique de son ami, et que l'exercice épuisait.

— Tu devrais venir ici plus souvent, tu sais... Kendal Collins.

Mike lui jeta un regard empreint de curiosité. Ralentissant son allure, il ôta ses écouteurs.

— Qui c'est ?

Jason enleva son casque à son tour et regarda autour de lui. Dans la salle, tout le monde s'activait, et le bruit des appareils couvrait leur conversation.

— Kendal Collins... La jeune femme que j'ai emmenée au Mexique en février. Elle est représentante chez Merrill Jackson.

— Ah, elle..., dit Mike qui reprit son activité en forçant l'allure. Oui... elle passe au bureau à peu près... une fois par semaine. Gentille fille. Très consciencieuse. Elle m'a donné... une documentation intéressante...

Curieux. Elle ne passait *pas* au bureau de Jason une fois par semaine, même s'il prescrivait du Paroveen à tour de bras. Et elle ne lui donnait rien, à lui. A sa connaissance, elle se contentait de déposer des boîtes d'échantillons et s'esquivait sans jamais demander à voir le médecin.

— Comment te paraît-elle ? s'enquit Jason.

Il baissa les yeux sur le compteur de l'appareil. Il indiquait que son pouls s'était emballé à la question. C'était fou… Il avait vraiment cette femme dans la peau.

— Comment elle me *paraît* ? répéta Mike, le scrutant avec curiosité.

— Oui, répondit Jason, conscient de se comporter comme un idiot, mais incapable de s'en empêcher. Quand tu la vois, te semble-t-elle… bien ?

— Oui. Elle est très professionnelle, comme toujours. Tu as le béguin pour elle ou quoi ?

— Non ! C'est juste que… je me demandais comment elle allait depuis notre retour du Mexique. Cette expérience a été très dure pour elle. Je n'aurais jamais dû l'emmener…

— Oh, elle a l'air bien, commenta Mike avec un haussement d'épaules désinvolte. Elle travaille nuit et jour, pour autant que je sache, mais elle est toujours d'humeur égale. Une fille vraiment classe…

Il dévisagea son ami.

— Pourquoi ne l'invites-tu pas au gala annuel ?

La soirée de bienfaisance avait lieu chaque printemps et les bénéfices allaient au centre de grands brûlés d'Integris. La bouteille de champagne y valait mille dollars, et toutes les personnalités en vue, politiciens, banquiers, musiciens et artistes, se devaient d'y assister.

Bien entendu, l'événement était une obligation pour tous les médecins d'Integris. Jason, Mike et un couple d'amis avaient déjà réservé une table. Tous étaient mariés et harcelaient Jason pour qu'il trouve une cavalière sans attendre la dernière minute.

— Elle est célibataire, non ? insista Mike.

— Il paraît..., grommela Jason.

Il préférait mourir qu'inviter Kendal à la soirée de gala. Jamais de la vie... A lui fermer les portes au nez, elle récoltait ce qu'elle avait semé.

Il demanda donc à Mindy McCane d'être sa cavalière.

Et le soir du bal, Mindy McCane se révéla sensationnelle, comme d'habitude. Grande. Blonde. Désirable. Elle portait une robe noire dos nu en matière brillante qui épousait ses courbes comme de la lave en fusion.

Pendant que l'ascenseur les emmenait à l'étage où se déroulait la soirée, il la plaqua contre la paroi et l'embrassa en expert. Histoire de la préparer à ce qui l'attendait.

Il constata avec satisfaction que les yeux de la jeune femme brillaient quand il s'écarta.

— Il y a vraiment trop longtemps que nous ne nous sommes pas vus, murmura-t-elle.

Absolument. Il y avait trop longtemps qu'il soupirait après Kendal Collins. Et ce soir, il comptait bien s'amuser.

Puis, du coin de l'œil, il aperçut le bouton d'ouverture des portes sur le tableau de commande. Jetant un regard décidé à Mindy, il vit ses yeux s'écarquiller de surprise juste avant qu'il ne plaque un autre baiser sur ses lèvres avec une frénésie inattendue.

Mais l'effort fut inutile. L'image de Kendal le hantait, comme si elle se trouvait là, dans l'ascenseur, refusant d'appuyer sur ce maudit bouton d'ouverture…

— Nous allons passer une nuit torride, chérie…, murmura-t-il à l'oreille de Mindy tout en lui donnant une petite tape sur les fesses au moment où les portes de l'ascenseur s'ouvraient.

Et il la vit.

De profil, près de la réception, bavardant joyeusement avec un vieux goret à moitié chauve en smoking.

Il se figea, réprimant un juron. Kendal était encore plus belle que la dernière fois qu'il l'avait vue.

Puis elle se tourna légèrement pour parler à son voisin, et il vit son visage de face. Ce visage. Il était gravé dans son esprit, dans son cœur, de mille façons, avec mille expressions entrevues pour la plupart sous une tente éclairée par la lune, au Mexique…

Il observa l'homme qui l'accompagnait en espérant qu'il ne s'agissait pas de son cavalier. Bon sang, il était assez vieux pour être son père !

Les cheveux noirs de la jeune femme étaient rassemblés en une épaisse cascade bouclée qui lui retombait sur une épaule. Elle portait une robe noire qui, comme celle de Mindy, lui dénudait le dos. Mais davantage encore. En fait, il y avait juste deux fines bretelles qui retenaient le décolleté vertigineux descendant jusqu'à sa chute de reins.

Subjugué par la peau de porcelaine, il resta là, bouche bée.

— Jason ? Qu'est-ce qu'il y a ? s'enquit Mindy.

Elle suivit son regard.

— Qui est-ce ?

— Personne.

Lui prenant le bras, il désigna des tables dressées devant les hautes fenêtres.

— Mike et sa femme sont là-bas. Tu te souviens du Dr Lewis et de Sissi, n'est-ce pas ?

— Bien sûr, répondit Mindy en agitant la main à l'adresse du couple.

Il avait déjà emmené Mindy à des soirées officielles. Quand il avait besoin d'une femme élégante à son bras, c'était elle qu'il contactait car elle était généralement disponible.

— Si tu allais les rejoindre ? Il y a une foule assoiffée au bar, alors je ferais mieux d'aller nous chercher à boire avant qu'il n'y ait plus de champagne.

Mindy lui sourit puis s'éloigna de son pas gracieux.

Tirant sur les pans de son smoking, Jason traversa la salle. Un éminent physicien l'interpella, mais il inclina poliment la tête et poursuivit son chemin. Il y avait toujours une affluence record à cette soirée de gala, et le bal de ce soir ne faisait pas exception à la règle. S'il n'allait pas voir Kendal maintenant, il risquait de la perdre au milieu de tous ces gens.

— Kendal…

Il arrivait derrière elle, et il dut faire un effort pour ne pas poser la main sur la peau douce et chaude de son dos.

Elle se retourna et ses yeux plongèrent dans les siens. Verts, expressifs, magnifiques. Son sourire s'effaça lentement pour laisser la place à un rictus poli.

— Jason…

— Bonsoir, dit-il avec un grand sourire suffisant pour deux. Comment ça va ?

— Bien.

— Je ne m'attendais pas à te voir à ce bal.

— Je viens chaque année, dit-elle d'un ton égal. C'est le moins que je puisse faire pour le centre de grands brûlés. Roger, je vous présente Jason. Jason, mon cavalier, Roger.

Elle tendit une main languissante vers le Goret qui adressa un sourire crispé à Jason.

C'était le genre de compétition dont il n'avait rien à craindre, supposa ce dernier.

L'homme posa une main dans le dos de Kendal, directement sur la *peau* de son dos, et Jason sentit ses paumes devenir moites. Il s'efforça de se détendre quand Roger lui tendit son autre main.

— Roger Newls…

— Ravi de vous connaître, dit Jason en lui serrant les doigts un soupçon trop fort. Jason Bridges.

— Jason est le meilleur chirurgien plasticien d'Integris, expliqua Kendal. Ses patients sont principalement des grands brûlés. Roger est conseiller en investissements.

Et un goret.

— Un chirurgien plasticien ? Votre visage m'est familier, commenta Roger, les yeux plissés derrière ses lunettes Ralph Lauren. Faites-vous de la publicité dans le journal du dimanche sous votre photo ? Beaucoup de plasticiens le font de nos jours. En regardant ces pubs, on se demande souvent pourquoi ils ne travaillent pas sur leurs propres visages, ajouta-t-il en s'esclaffant bruyamment.

« Très drôle, ce type. »

Manifestement, l'homme se sentait menacé. S'il n'avait pas montré tant de suffisance, Jason aurait eu pitié de lui. Il eut envie de lui dire : « Je fais justement une promotion sur les visages en ce moment, Roger. Si vous avez des amis, n'hésitez pas à me les présenter. » Mais il ne voulait pas se comporter grossièrement devant Kendal. Et il n'était pas non plus prêt à la quitter.

Il opta pour un comportement plus nuancé.

— Je n'ai jamais fait de publicité. L'espace est toujours pris par les conseillers en investissements, dit-il avec un sourire suave.

Kendal eut ce rire léger, familier, qui lui serra le cœur.

— Vous avez dû voir la photo de Jason dans le journal, expliqua-t-elle à Roger. C'est le médecin qui a eu ce problème avec les *zapatistas* au Mexique. Celui avec qui je me suis échappée de justesse du Chiapas.

— Oh, murmura Roger, son visage rond s'éclairant. C'est donc là que je vous ai vu ! Eh bien, laissez-moi vous remercier du fond du cœur d'avoir sorti cette adorable enfant de ce trou d'enfer, ajouta-t-il en passant sa main potelée dans le dos de Kendal d'un geste possessif. Kendal est la meilleure chose qui me soit arrivée depuis longtemps.

Jason se demanda si Kendal avait vraiment une relation sérieuse avec ce type. Bon sang, il n'y avait que cinq semaines qu'elle était rentrée du Mexique !

— C'est vrai qu'elle est particulière, dit-il.

Tout en parlant, il avait plongé son regard dans celui de la jeune femme et constata avec soulagement qu'elle avait toujours des sentiments pour *lui*. Mais elle s'empressa de les masquer derrière une expression indéchiffrable.

Pas d'avenir possible pour eux, avait-elle dit. Elle protégeait son cœur.

Une sensation bizarre noua alors la gorge de Jason. Il baissa les yeux pour fixer ses chaussures, puis les releva vers le couple. Roger souriait à Kendal avec une adoration non dissimulée, mais quand il l'attira contre lui, la jeune femme eut un air dégoûté qui n'échappa pas à Jason.

Etait-elle vraiment prête à foncer tête baissée dans une relation avec cet espèce de goret ? Après la passion qu'ils avaient partagée tous les deux ? L'engagement, la sécurité, comptaient-ils donc tant que ça pour elle ?

— Eh bien, j'ai été ravi de vous connaître, Roger, reprit-il, ce qui ne suscita apparemment aucune réaction de Kendal. Content de t'avoir revue, Kendal.

— Moi aussi, répondit-elle, lui jetant à peine un regard.

— Je vais chercher une coupe de champagne pour ma cavalière avant qu'il n'y en ait plus…

Ensuite, Jason décida de se comporter en galant homme et d'oublier Kendal pour consacrer sa soirée à Mindy. Mais pendant le bal, ce fut plus fort que lui, il retraversa la salle pour la rejoindre.

La dominant de sa haute taille, il contempla un instant sa magnifique chevelure noire avant qu'elle ne tourne lentement la tête vers lui.

Il sourit et lui tendit la main.

— Tu danses ?

Elle hésita, et ses joues rosir légèrement. Puis elle regarda Roger avec un grand sourire.

— Vous permettez ?

Haussant les épaules, le Goret se leva et tint galamment la chaise de la jeune femme pendant qu'elle se levait. Ses yeux se posèrent sur Jason.

— Prenez bien soin de ma cavalière, dit-il d'un ton doucereux.

— Je ferai de mon mieux, n'en doutez pas.

Puis, un bras possessif autour de la taille de Kendal, il l'entraîna vers la piste de danse. Il éprouva un soulagement indicible en sentant son corps si près du sien, quand sa paume se pressa sur la peau douce de son dos, et il ne résista pas à l'envie de la plaquer contre lui.

— Qu'est-ce que c'est que ce type ? murmura-t-il.

Elle s'écarta légèrement.

— Que veux-tu dire ?

— C'est ton petit ami ?

— Ne sois pas ridicule, répondit-elle avec raideur, comme si la question l'offensait. Nous nous connaissons à peine. C'est Sarah qui me l'a présenté.

— Ta meilleure amie ?

— Oui. Elle travaille à la banque de Roger. Il me tient compagnie, c'est tout.

— Ce n'est pas l'impression qu'il m'a donnée quand il m'a remercié de t'avoir sauvé la vie.

— Je ne comprends pas pourquoi les hommes se montrent aussi possessifs. Ils se comportent ainsi, c'est tout.

— Je sais pourquoi.

« Parce que tu es désirable », songea-t-il, mais il préféra ne pas formuler sa pensée à voix haute. Beaucoup d'hommes avaient probablement voulu posséder Kendal Collins. Lui inclus. Il la serra contre lui.

— Alors, c'est toi qui l'as invité à t'accompagner à ce bal ?

— Oui. J'avais les billets. C'est une bonne publicité pour ma boîte d'être représentée à ce genre de gala.

— Pourquoi ne m'as-tu pas invité moi ?

Elle fronça les sourcils.

— Tu le sais parfaitement. D'ailleurs, tu sembles t'être trouvé une charmante cavalière, ajouta-t-elle avec un regard appuyé à Mindy occupée à flirter avec un groupe de médecins près du bar.

Il remarqua qu'elle se donnait un mal fou pour ne pas l'interroger sur ses relations avec la belle Mindy.

Il sourit.

— Mindy ? C'est juste… quelqu'un qui me tient compagnie.

La plaisanterie ne lui arracha qu'une grimace. Elle n'était pas d'humeur, apparemment.

— Et nous ? reprit-il.

— Quoi, nous ?

— Tu refuses de répondre à mes messages.

— Je t'ai déjà dit tout ce que j'avais à dire. Si chacun de nous s'en tient à sa position, je ne vois pas l'intérêt de ranimer les braises, dit-elle, les joues empourprées.

— Alors nous ne pouvons même pas nous tenir compagnie ?

Elle lui jeta un regard ennuyé.

— Je ne pense pas que ce soit sage.

— Pourquoi ? demanda-t-il en glissant la main au bas de son dos.

— Pourquoi ? répéta-t-elle en s'écartant pour le regarder dans les yeux. Mais *voilà* pourquoi, justement ! Et tu le sais très bien.

Puis elle prit sa main pour la déplacer.

— Bon. Je ne peux pas m'empêcher de te toucher, alors poursuis-moi en justice. Mais tu éprouves la même chose pour moi, inutile de le nier.

Elle voulut s'arracher à ses bras, mais il la plaqua fermement contre lui.

— Tu dépasses les bornes, tu sais, docteur Bridges !

Mais elle cessa de résister. La sensation de son corps doux et charnel contre le sien le rendait fou.

— Qu'est-ce que tu vas faire maintenant ? reprit-elle. Me jeter par terre au beau milieu de la piste de danse ?

Les mots lui firent l'effet d'une gifle.

— Si je pensais que ça te ramènerait à la raison, je le ferais sans hésiter.

— Arrête, Jason. L'attirance physique n'est pas tout. C'est ainsi qu'une relation commence, ce n'est pas là qu'elle s'achève. Tu ne sembles pas le comprendre.

— Et toi, il y a une chose que tu n'as pas l'air de saisir, Kendal, rétorqua-t-il en se penchant vers elle, sa main glissant audacieusement au creux de ses reins. Ce qu'il y a entre nous n'arrive pas tous les jours. Ne sois pas stupide. Tu ne peux pas sortir avec un type comme lui…

— Roger est un homme très gentil.

— Je n'en doute pas. Mais tu ne peux pas aller avec un gars pareil après ce que nous avons partagé. Tu deviendrais folle.

Elle s'empourpra sous l'effet de la colère.

— Ce que je fais avec un autre homme ne te regarde absolument pas !

— Avec Roger, tu ne risques rien, n'est-ce pas, Kendal ? C'est ça ? Tu préfères la sécurité à la passion. Tu cherches un animal de compagnie que tu pourras tenir en laisse, comme Phillip.

La mâchoire de Kendal se durcit.

— Je devrais te gifler.

— Sauf que tu n'en as pas vraiment envie, n'est-ce pas ? Voilà ce que tu veux vraiment…

Et il s'empara de ses lèvres, voulant la posséder,

qu'elle soit à lui. Lui renversant la tête en arrière, il la plia à sa volonté comme il ravageait sa bouche.

Il ne ferma pas les yeux. A contraire. Brûlant de passion, il savoura chaque trait de son visage, ses sourcils froncés indiquant qu'elle était visiblement partagée entre douleur et plaisir.

Quelque part dans son subconscient, il se rendit compte que les gens les observaient, mais il se moquait de ce qu'ils pensaient. Sa réputation n'était plus à faire. Pour Kendal toutefois c'était différent. Elle avait peut-être raison. Elle aurait peut-être dû le gifler.

Mais il était un peu tard pour ça car elle lui rendait son baiser. Avec fièvre. Puis il la sentit s'écarter.

Quand il la lâcha, elle le dévisagea, les yeux brillants de rage. Le souffle court. De toute évidence, elle le détestait. Alors pourquoi avait-il le sentiment qu'il devait la sauver d'elle-même ?

— Choisis la passion, Kendal, murmura-t-il, ne faisant rien pour éviter son regard noir. C'est tout ce que nous possédons vraiment dans cette vie. Et nous pouvons partager ça. Encore et encore… Tant que nous en aurons envie.

Un court instant, il crut voir des larmes dans ses yeux, mais elle cilla vivement pour les chasser.

— Tant que nous en aurons envie…, répéta-t-elle, sarcastique avant de le repousser sans ménagement.

L'orchestre jouait toujours, mais il y avait longtemps qu'ils avaient cessé de danser.

Kendal regarda les danseurs qui tournoyaient autour d'eux et chuchota :

— Je choisis bien plus que la passion, Jason. Je choisis la décence et l'engagement. Je regrette que tu en sois incapable. Je comprends pourquoi car je sais ce qui t'est arrivé, mais ça ne change rien. Et j'espère que tu te feras aider pour régler ton problème.

— Je n'ai aucun problème, riposta-t-il, agacé par sa psychologie de supermarché. Je sais ce que je veux, et je le prends.

— Oh, si, tu as un problème… Tu préfères courir de femme en femme au lieu de trouver le vrai bonheur. Mais si tu ne t'en rends pas compte, tu n'es certainement pas l'homme qu'il me faut.

Elle jeta un regard embarrassé aux autres danseurs, gênée de l'intérêt qu'ils suscitaient.

— Adieu, Jason.

Puis elle pivota sur elle-même et partit. Ses longs cheveux brillaient à la lueur tamisée des lustres de cristal, caressant doucement ses épaules dénudées. Il la vit lever une main tremblante vers son visage, comme pour essuyer une larme.

Jason resta pétrifié pendant de longues minutes, indifférent aux danseurs qui virevoltaient autour de lui. La regardant partir. Contemplant son dos de porcelaine qui lui échappait encore. Et tandis qu'elle s'éloignait, une sensation étrange le prit aux tripes. Comme si on lui arrachait un organe vital.

Figé, il se demanda où son histoire avec Kendal Collins avait tourné court.

« Au Mexique, songea-t-il. C'est là que tout a mal tourné. »

14.

Kendal exprima ses regrets à Roger, mais, souffrant d'une méchante migraine, elle préférait rentrer chez elle, et demanderait au vigile du hall d'entrée de lui appeler un taxi. Bien entendu, Roger lui proposa de la raccompagner, et elle eut beau assurer ne pas vouloir lui gâcher sa soirée, il insista pour la ramener, l'entraînant aussitôt vers la sortie.

Roger était un gentil garçon. Pendant qu'ils roulaient dans les rues silencieuses d'Oklahoma City, il ne lui parla pas de sa scène embarrassante avec Jason, au milieu de la piste de danse. Pas un mot. Un vrai gentleman.

Mais n'était-il pas un brin hypocrite ? Elle se le demanda quand Roger lui prit les mains devant chez elle. A sa place, Jason Bridges aurait foncé sur la piste de danse pour mettre fin à cette scène déplacée, ou il l'aurait taquinée à ce propos. Ou encore il aurait exigé de savoir ce que ce type était pour elle, et il l'aurait embrassée pour apaiser le désir éveillé en elle par ce baiser insensé.

Pas Roger.

— Eh bien, je vous souhaite une bonne nuit, dit-il calmement. Vous semblez fatiguée.

Fatiguée ? Elle n'était pas *fatiguée*. Elle était humiliée, et elle en avait assez ! Jason Bridges avait gâché sa soirée, peut-être même sa vie, et voilà que cette chiffe molle de Roger en rajoutait en lui écrasant les doigts !

— Roger, je…

— Tout va bien, Kendal, coupa-t-il. Je sais que vous avez connu le Dr Bridges dans le passé.

— Vraiment ?

Comment un banquier était-il au courant de ce qui se passait au centre médical Integris, de l'autre côté de la ville ?

— Sarah me l'a dit, répondit-il.

— Ah…

Elle n'essaya pas de nier, ni d'expliquer quoi que ce soit. C'était sans importance. Jason — qu'il soit maudit — avait parfaitement résumé la situation sur la piste de danse, à la soirée de gala.

Tant qu'elle accepterait de l'embrasser de cette façon, que faisait-elle avec un gentil garçon comme Roger ? Voulait-elle lui briser le cœur, comme le sien l'avait été par Jason ?

— Bonne nuit, Roger. Je regrette que la soirée se termine ainsi. Je ne pouvais pas rester après… après…

— Je comprends. Puis-je vous appeler un peu plus tard ?

— Bien sûr. Je serai ravie de vous parler.

— Juste parler ?

Il se pencha vers elle pour l'embrasser. Mais il était trop tard. Elle détourna la tête.

— Pour l'instant, dit-elle d'un ton léger pour masquer son embarras. Je crois que nous ferions mieux de rester amis.

— Si c'est ce que vous voulez, d'accord pour l'amitié, répliqua Roger sur le même ton, mais son regard trahissait sa déception. Bonne nuit, Kendal.

— Bonsoir.

Elle pénétra dans la maison et jeta son sac et ses clés sur la console de l'entrée puis massa ses tempes douloureuses. Elle avait vraiment la migraine maintenant.

Pourquoi ne pouvait-elle avoir de tendres sentiments pour un gentil garçon comme Roger ? Elle songea à tous les gentils garçons qui l'avaient invitée au cours de l'année qui avait suivi sa rupture avec Phillip. Des hommes probablement capables de s'engager. Pourtant, elle ne leur avait rien demandé, persuadée elle-même qu'elle pleurait encore son amour perdu.

Mais la vérité, c'est qu'elle n'avait rencontré personne comme Jason Bridges au cours de cette année. Ni jamais, d'ailleurs. Et elle n'en rencontrerait jamais plus comme lui.

Elle gravit l'étroit escalier qui menait à l'étage pour gagner la grande chambre. Elle avait besoin d'un bain pour se détendre. Ouvrant le robinet, elle regarda la baignoire se remplir pendant que de sombres pensées se bousculaient dans sa tête.

Elle ne se marierait jamais. Elle ne fonderait jamais une famille. Elle ne trouverait jamais le bonheur.

Elle était de retour à la case départ, juste après la désertion de Phillip.

Passant dans le vestiaire, elle se débarrassa de ses chaussures à talons hauts puis enleva sa robe noire qu'elle suspendit avec soin à un cintre matelassé pour éviter tout faux pli. Regagnant sa chambre, elle ouvrit le tiroir tapissé de velours de la commode où elle rangeait ses bijoux. Après avoir ôté ses pendants d'oreilles en diamants, elle les posait dans leur écrin quand son regard fut attiré par la médaille de sainte Lucie. Touchant l'or froid, elle ferma les yeux et la revit se balancer à son cou la nuit où Jason lui avait fait l'amour pour la première fois.

Elle serra le bijou dans sa paume. Elle ne se séparerait jamais de cette médaille parce que, ce soir-là dans la grotte, elle avait promis à Lucia de la lui garder et de veiller sur Miguel, mais elle ne pourrait plus jamais la porter. Trop de souvenirs y étaient attachés. Des souvenirs de Jason. Des souvenirs d'amour.

Avait-elle *vraiment* prié la sainte pour que *celui-là* soit l'homme de sa vie ? Et voilà ce qui était arrivé. Elle s'était encore attachée, et elle se retrouvait plus seule que jamais.

Elle s'efforça de se répéter qu'elle était sortie avec un homme qui ne lui convenait pas, mais le souvenir du baiser qu'il lui avait donné ce soir l'obsédait, comme pour lui prouver le contraire.

Un baiser. Un seul baiser, et tout était revenu. L'énergie brute, la passion, la fièvre.

Les larmes lui montèrent aux yeux. Des larmes de colère. De confusion. De solitude.

Oh, Seigneur… Allait-elle encore passer la nuit à pleurer dans sa baignoire ? Elle s'essuya rageusement les joues. Non, elle ne laisserait pas Jason Bridges lui faire ça. Si seulement elle n'avait pas été si sotte au Mexique.

Le Mexique…

Par association d'idées, elle songea à Miguel, ce qui lui rappela qu'elle avait plus urgent à faire que se lamenter sur sa pitoyable liaison avec Jason. Où ces hommes avaient-ils emmené Miguel ? Le nourrissait-on correctement ? Avait-il froid quand la fraîcheur du soir tombait dans les montagnes ? Avait-il quelqu'un auprès de lui pour le bercer, lui chanter des chansons, lui lire des histoires ?

D'une manière ou d'une autre, elle devait absolument retourner au Mexique pour sauver le petit garçon qui lui avait volé son cœur. La perspective de retrouver Miguel lui donnait un but, une énergie nouvelle.

Pour lui, elle était capable de toutes les audaces.

L'eau coulait toujours dans le Jacuzzi, et elle gagna la luxueuse salle de bains. Elle avait mis sa maison en vente. Si Ben découvrait où se trouvait Miguel, elle voulait avoir l'argent disponible pour partir chercher l'enfant sans délai.

Un appartement lui suffirait amplement. A la pensée de mener une vie simple, elle se sentit le cœur léger. Pour Miguel, n'importe quel endroit serait un palais après la rude existence qu'il avait dû mener avec Lucia, au Mexique.

Dans un courrier, Ben lui avait appris que, d'après des paysans du coin, le campement de Varajas se situait quelque part dans la jungle, près de Palenque. Mais la forêt tropicale autour de Palenque était vaste et dense. Si Varajas y avait conduit Miguel, comment dénicher l'endroit ?

Bah, elle trouverait un moyen. Et elle ramènerait son fils chéri dans l'Oklahoma, ils se construiraient une nouvelle vie et ils seraient heureux, même sans homme.

Elle sentit la médaille pressée dans sa paume et ouvrit lentement la main pour la regarder.

— J'ai une nouvelle prière à t'adresser, murmura-t-elle au fin profil gravé dans l'or. Aide-moi à retrouver Miguel. Il y a sûrement un moyen. Peu m'importe lequel…

Délicatement, elle posa la médaille sur le marbre de la commode, avec la chaîne, puis se retourna pour glisser la main dans l'eau bouillonnante et tester sa température.

Alors qu'elle s'apprêtait à prendre l'un de ses derniers bains dans le luxueux Jacuzzi, elle prit conscience du changement qui s'était opéré en elle. Plus question de passer des heures dans son bain à pleurer toutes les larmes de son corps à cause d'un homme, quel qu'il soit.

Le plus triste, c'était que Jason Bridges ne changerait probablement jamais. Mais elle pouvait se forcer à l'accepter. Elle était une nouvelle femme maintenant, une femme qui regardait la vérité en face.

De toute façon, quels que soient les fantômes qui hantaient l'existence de Jason Bridges, elle n'avait pas le pouvoir de les chasser.

*
* *

Au cours des longues journées qui suivirent le gala de charité, Jason n'arrêta pas de tourner et retourner dans sa tête la scène qui l'avait opposé à Kendal.

Il réalisait ses opérations avec le même soin, la même compétence que d'habitude, mais c'était comme si son esprit et son corps s'étaient séparés.

Ou plutôt, comme si son esprit et son cœur s'étaient dissociés de son corps qui continuait à fonctionner avec la même précision de machine.

Il avait envisagé de se trouver une nouvelle petite amie, une doublure, en quelque sorte. C'était facile. Il lui suffisait d'enfourcher sa moto pour foncer vers la première boîte de nuit, celle de Billy Bob, par exemple. D'offrir quelques bières à une jolie poupée, de danser quelques slows avec elle pour la mettre en condition, puis de l'emporter sur sa moto vers une nuit torride.

Mais il ne voulait pas d'une femme qui se satisfasse d'une aventure d'une nuit. Plus maintenant. Il voulait Kendal, et seulement Kendal. Il n'arrivait pas à oublier la douceur de sa peau, le goût de son corps.

Pourquoi se contenter d'une pâle copie alors que, d'une manière ou d'une autre, il était sûr de pouvoir avoir le vrai trésor ?

Seulement, le trésor en question ne voulait plus avoir affaire à lui. Une fois de plus, Kendal avait été très claire lors de la soirée de gala. Et cette pensée le rendait fou.

Jamais il n'avait imaginé qu'il pourrait aimer une femme autant qu'il avait aimé Amy. Et pourtant…

Ce sentiment obsédant, dévorant, c'était bien de l'amour.

Peut-être pensait-elle vraiment ce qu'elle avait dit à propos de l'engagement. Chaque fois que son esprit pouvait s'évader ne fût-ce qu'une seconde, les paroles de Kendal venaient le tourmenter en un lancinant leitmotiv.

Il n'y a pas d'avenir possible pour nous.

Qu'est-ce que cela signifiait ? Voulait-elle dire qu'ils n'avaient pas d'aptitude au bonheur ? Ou simplement qu'ils ne pouvaient pas être heureux ensemble ?

Et comment pouvait-elle en être certaine ? Avait-elle une boule de cristal dissimulée au fond de son maudit chariot ? Personne ne pouvait prédire l'avenir. Surtout lorsqu'il s'agissait d'une relation amoureuse. Il était bien placé pour le savoir.

Ils étaient trop différents, avait-elle prétendu. Forcément. N'était-il pas un homme et elle une femme ?

Espérait-elle une existence lisse et sans reliefs où chacun des deux serait d'accord sur tout ?

L'irritation, la colère même, le gagnait quand il commençait à ressasser tout cela. Eh bien, qu'elle se trouve un type comme ce représentant en produits pharmaceutiques aseptisé et conformiste dont il avait oublié le nom et qui avait fait ses quatre volontés pendant cinq longues années. Comment s'appelait-il déjà ? Phillip ? Il l'avait vu une fois et l'avait bien regardé. Beau dans le genre modèle pour catalogue de mode. Pas un cheveux de travers.

Mais peut-être serait-elle plus heureuse avec le

Goret s'il payait ses factures et faisait ses quatre volontés ?

« Eh bien, ma jolie, construis-toi un futur heureux avec tout ça ! »

Pas d'avenir possible ? Subitement, la colère de Jason s'effaça pour laisser place à la tristesse. Non, pas la tristesse. C'était plus profond que ça. Il s'agissait de vrai chagrin. Le genre de chagrin qui le frappait quand il pensait à Amy, son amour perdu.

Il ferma les yeux. Kendal avait peut-être raison. Il avait peut-être besoin de voir un psy.

— Ça va ? demanda Kathy Martinez en lui tendant les dossiers de la matinée.

Il ouvrit les yeux. Sa fouineuse d'assistante le dévisageait avec curiosité.

— Très bien, répliqua-t-il en lui arrachant les dossiers.

Ignorant sa mauvaise humeur, Kathy continua à le regarder fixement, et il craignit qu'elle ne le perce à jour.

— Vous pouvez regagner votre bureau, Mère Martinez.

— Vous avez encore passé une nuit blanche ?

— Non, rétorqua-t-il avec irritation.

Mais il avait bel et bien passé une nuit blanche. Une nuit affreuse. Seul, dans son lit. A se tourner et retourner comme un possédé, au point de se retrouver prisonnier d'un enchevêtrement de draps.

Usant de tous les vieux trucs appris à l'école de médecine, il avait fini par sombrer dans un sommeil agité et avait rêvé de Kendal. Avant de se réveiller en sueur et de lâcher une bordée de jurons dans la nuit.

Pas d'avenir possible ? Les mots étaient revenus le hanter aux heures blêmes précédant l'aube, et il s'était vraiment demandé s'il n'allait pas perdre la raison.

Que voulait-elle dire par là, d'ailleurs ? Tout le monde savait ce qui s'était passé entre elle et lui au Mexique. Ce souvenir éveilla son désir. Mais il fut davantage troublé de sentir son cœur se serrer douloureusement à cette pensée.

Une fois de plus, il imagina un avenir avec Kendal. Un futur hautement improbable. Il songea néanmoins à ce que pourrait être la vie avec elle. Il se vit l'embrasser tous les jours, dans toutes sortes d'endroits. Dans la cuisine. Dans la voiture, sur le chemin de la clinique. Au jardin public.

Seigneur, comme il aimait l'embrasser ! Et pas seulement sa bouche. Son visage aussi. Ses mains. Ses cheveux. Son corps. Avec Kendal, les baisers étaient chargés de signification. Ils traduisaient les sentiments profonds qu'il lui portait : *Je t'adore.*

Et depuis quand avait-il décidé qu'il l'adorait ? Bah, qu'importait… Ce qui comptait, c'était qu'il l'adorait bel et bien.

Un bras sur les yeux, il avait tenté de chasser les troublantes pensées, mais en vain : elles passaient en boucle dans son esprit fiévreux.

Un enfant. Pour quelque étrange raison, l'image d'un enfant s'était alors imposée à lui.

Il s'était vu avec Kendal, tenant la menotte d'un

enfant qui riait tandis qu'ils le balançaient entre eux, comme il avait vu des couples le faire au jardin public.

Le visage de l'enfant avait pris les traits de Miguel. Et, avec une clarté implacable, Jason avait revu le premier sourire de Miguel convalescent, vite remplacé par l'image déchirante du bébé en pleurs arraché aux bras de Kendal.

Alors, sautant du lit, Jason avait foncé dans la salle de bains pour boire un verre d'eau, torturé par un sentiment de culpabilité insoutenable.

Hagard, il avait fixé le miroir de ses yeux rougis par l'insomnie. « Pourquoi ? » Pourquoi ne l'avait-il pas aidée à récupérer Miguel ? Pourquoi n'avait-il pas donné à la femme qu'il aimait la seule chose qu'elle désirait vraiment ? « Pourquoi ? »

— Nous allons avoir une journée chargée aujourd'hui, remarqua Martinez, l'arrachant à sa rêverie.

— Oui ? dit-il distraitement.

Elle l'étudia, les sourcils froncés.

— Je vous repose la question, docteur Bridges. Vous êtes sûr que ça va ?

— Je vais bien.

— Mmm… Je reste persuadée du contraire. Vous voulez me raconter ce qui vous tracasse ?

Martinez savait qu'il n'avait pas de famille sur laquelle il pouvait compter. Ils en avaient parlé une fois. Ou plutôt, elle avait soulevé la question, un soir, dans son bureau, après une dure journée. Il avait répondu qu'il ne se souciait plus de sa famille depuis longtemps et que cela n'avait pas d'importance.

— Au contraire, avait rétorqué la grande Noire, les bras croisés sur son opulente poitrine. Je crois que ça compte beaucoup.

Ah, les femmes… Pourquoi se sentaient-elles obligées de guérir tout le monde de tous leurs maux ? Surtout les infirmières. Elles ne vous lâchaient pas tant que vous n'étiez pas allongé sur un lit, un linge humide sur le front, à leur raconter vos problèmes. En particulier celle-ci, qui n'avait pas l'air de vouloir laisser tomber.

— Votre mauvaise humeur a-t-elle un rapport avec Kendal Collins ?

— De quoi parlez-vous, Martinez ?

— Toute la clinique est au courant de votre petite scène au gala de bienfaisance.

— J'ai embrassé une fille en robe sexy, marmonna-t-il en ouvrant le premier dossier. Je sais que c'est choquant, mais les gens finiront par s'en remettre.

Puis il se dirigea vers son bureau, laissant derrière lui Martinez et ses questions stupides.

Mais la secrétaire lui emboîta le pas.

— Ne jouez pas les bêcheurs avec moi. Ruth m'a dit que ça avait duré cinq bonnes minutes.

Ruth. Elle était venue au bal avec Doug Lippert.

— Laissez-moi tranquille, voulez-vous ? dit-il avec exaspération.

Mais Martinez n'était pas décidée à renoncer aussi aisément.

— Et maintenant, vous vous comportez comme un robot qu'on aurait trop remonté. Courant toute la journée, roulant toute la nuit à moto…

— Pour votre information, je fréquente aussi le club de sport. Et maintenant, ça suffit, je ne tiens pas à en parler.

— Le sport ne vous aide en rien. Vous feriez mieux de vous confier à quelqu'un, ou vous allez perdre les pédales. Si vous refusez de me parler, épanchez-vous auprès d'un ami. Ou mieux encore, allez consulter un psy.

C'était presque mot pour mot ce que lui avait conseillé Kendal. Est-ce que tout le monde pensait qu'il avait besoin de voir un psy ? Comme il ne répondait pas, Martinez se dirigea vers la porte.

— Attendez, Martinez.

— Oui ? fit-elle, la main sur la poignée.

— Vous croyez que j'ai un problème ?

Elle parut réfléchir à la question avant de se tourner vers lui.

— Oui, docteur.

— Avec les femmes ?

Revenant vers lui, elle se laissa tomber dans un fauteuil.

— Quel âge avez-vous, docteur ?

— Trente et un ans.

— Vous n'avez jamais songé qu'il était peut-être temps de vous ranger ?

— De me marier, vous voulez dire ?

— Ce serait bien, mais pas nécessairement. Je pensais à trouver une femme stable pour partager votre vie, une relation à long terme, au lieu de courir de fille en fille.

Kendal lui avait dit la même chose, à peu de chose près.

— Vous croyez que je suis incapable de m'engager ?

— Tous les symptômes sont là…

— Que je suis malade ? Que j'ai besoin d'une thérapie ? C'est ce que, vous autres femmes, pensez des types comme moi ?

— Peu importe ce que nous pensons. Si vous n'êtes pas heureux, vous devriez au moins vous livrer à un peu d'introspection…

Il ressassait ces pensées, se torturant sans relâche, quand l'appel arriva.

De retour dans son bureau après un après-midi particulièrement chargé, il tentait de se concentrer sur les résultats d'analyse des nouveaux opérés lorsque l'Interphone se mit à clignoter.

— Docteur Bridges, vous avez un appel longue distance. C'est urgent. Vous pouvez le prendre ?

— Bien sûr, répondit-il dans l'Interphone avant de décrocher son téléphone. Allô !

— Docteur Bridges ? s'enquit son interlocuteur dans un anglais teinté d'accent espagnol. Vous êtes bien le chirurgien plasticien qui est venu récemment au Mexique ?

C'était la voix d'un homme d'un certain âge. Cultivée. Sifflante. Comme s'il souffrait d'un défaut d'élocution. Jason sentit un frisson lui parcourir le dos.

Il s'efforça d'adopter un ton froidement professionnel.

— Oui. En quoi puis-je vous aider ?

— Voilà, docteur Bridges. Je m'appelle Benicio Varajas et je crois que vous pouvez m'aider. En fait, je pense que vous êtes le seul à pouvoir le faire.

Varajas. Jason se demanda si l'homme jouait avec lui. Cette brute, qui terrorisait les populations autour de San Cristobal, ne pouvait pas ignorer que Jason connaissait ses exactions et qu'il avait soigné nombre de ses victimes.

— Comment va Miguel ? demanda-t-il à brûle-pourpoint.

Il n'était pas certain que ce voyou détenait Miguel, mais il devait tenter le coup.

Un ricanement déplaisant lui répondit.

— Le petit va très bien, *El Medico*. Mieux que je l'ai jamais vu. C'est pour ça que je vous appelle. Je veux vous exprimer ma gratitude pour le travail miraculeux que vous avez réalisé sur mon petit-fils.

Jason n'en crut pas un mot. Les hommes comme Varajas ne connaissaient pas la gratitude et l'exprimaient encore moins.

— Que voulez-vous ? demanda-t-il froidement.

— Ah, vous allez droit au but… Un homme selon mon cœur, railla Varajas.

Il y eut un lourd silence, puis Varajas reprit d'une voix douce :

— Je veux que vous reveniez au Chiapas.

— Je viens tous les ans.

— Pas l'année prochaine. Maintenant.

— Maintenant ?

— On a dû vous dire que j'étais affligé de la même difformité que mon petit-fils avant votre remarquable travail…

— Non, on ne me l'a pas dit, coupa Jason qui ne voulait pas attirer d'ennuis aux indigènes.

— C'est vrai. Je porte sur le visage et dans le cœur les mêmes cicatrices que celles que mon petit Miguel aurait dû endurer toute sa vie sans votre miraculeuse intervention.

Jason s'étonna de la parfaite maîtrise de l'anglais que l'homme possédait. Il ne s'agissait manifestement pas d'un paysan du Chiapas.

— Il n'y a rien de miraculeux là-dedans. Je pratique la médecine.

— *Si*. Et vous êtes devenu expert en la matière.

— J'ai des patients qui attendent, monsieur Varajas, alors vous feriez mieux de me dire où vous voulez en venir.

— Avant de voir ce que vous avez fait sur Miguel, poursuivit Varajas de son ton obséquieux, je n'ai jamais osé rêver qu'il y avait le moindre espoir pour moi aussi.

— Monsieur Varajas, coupa Jason sans cacher son agacement, vous pouvez certainement vous offrir les services des plus éminents chirurgiens de Mexico.

Là-bas, les gens riches avaient accès aux meilleurs soins. Jason, lui, ne se souciait que des pauvres.

— Ah, *El Medico,* peu de médecins sont aussi qualifiés que vous, en dépit de leur réputation… Un boucher très renommé du Brésil a essayé de réparer mon vieux visage difforme une fois. Le fou n'a fait qu'empirer les choses. Et j'avais perdu tout espoir avant de voir Miguel. Voulez-vous aider un vieil homme, docteur ? J'ai appris ce que vous aviez fait pour le *senor* Alvarez, et je sais que l'âge n'est pas un obstacle pour vous. Que vous acceptez aussi de venir en aide aux vieillards comme moi. Vous avez le pouvoir de soulager les tourments d'un vieil homme, docteur, de lui permettre de finir ses jours en paix.

Varajas n'avait pas l'air si décrépit. La complaisance qu'il mettait à s'apitoyer sur lui-même irritait Jason au plus haut point. Ce truand avait les moyens de faire appel aux plus grands plasticiens américains. Mais s'il tenait à ses services, il n'avait qu'à faire la queue avec les paysans du Chiapas.

— Je vous suggère de participer au tirage au sort quand je reviendrai l'année prochaine, avec les autres villageois…

— Non ! coupa Varajas d'une voix subitement tranchante comme une lame. Vous allez venir. Maintenant.

— Ecoutez, je viens quand je le décide. Et votre argent ne m'intéresse pas, alors inutile d'aborder cette question.

— *Senor…*

— Et je me moque de vos appuis politiques, continua Jason sur sa lancée. Je reviendrai au Chiapas en février prochain. Vous pouvez essayer de vous faire opérer à ce moment-là.

« Quand j'aurai soigné les malheureux que vous

et vos semblables opprimez depuis des lustres », ajouta-t-il mentalement.

Il y eut un silence glacial, puis :

— Comme vous voudrez, dit doucement Varajas.

Jason ne lui fit même pas l'honneur d'une réponse. Il se contenta de raccrocher.

15.

Le second appel arriva trois jours plus tard.

— Il y a des choses dont vous ne vous *moquez* pas, je suppose, dit la voix doucereuse de Benicio Varajas dans le combiné.

— De quoi parlez-vous ? marmonna Jason dont la patience atteignait ses limites.

— Comme vous le savez, la vie au Chiapas est dangereuse ces temps-ci. Je suis contraint de placer des hommes dans les villages, docteur Bridges. Des hommes qui surveillent. Qui savent tout ce qui se passe. Qui est né. Qui est mort. Qui est tombé amoureux. Et de *qui*…

Jason sentit la peau de sa nuque se hérisser, déclenchant en lui un signal d'alarme. L'image de Kendal en larmes les bras tendus vers Miguel lui traversa l'esprit.

— Si vous venez au Chiapas, poursuivit Varajas, je vous la rendrai — saine et sauve — après l'opération.

Le cœur de Jason se mit à cogner.

— Me rendre qui ? De qui parlez-vous ? demanda-t-il, mais il craignait de le savoir déjà.

— De la femme avec qui vous avez couché sous la tente lors de votre dernière visite. Elle est ici. Avec moi.

Jason en eut des sueurs froides. Des espions les avaient épiés quand ils faisaient l'amour sous la tente ? Et Kendal était retournée au Chiapas ?

— Je crois que vous connaissez plutôt bien la *senorita* Collins…

— Kendal est là-bas ?

— *Si.*

— Si vous touchez à un cheveu de sa tête, je m'engage personnellement à vous…

— Elle est ici de son plein gré. Elle est venue immédiatement après mon appel.

— Passez-la-moi.

— *Senor,* vous devez d'abord…

— Maintenant !

La voix de Kendal se fit entendre sur la ligne. Elle semblait effrayée.

— Jason ?

— Kendal ? Que fais-tu au Mexique avec Varajas, bon sang ?

— Il…

La voix de la jeune femme s'étrangla. Elle paraissait sur le point de fondre en larmes.

— Ne pleure pas, mon ange. Parle-moi.

— Il… il m'a appelée avant-hier sans préciser qui il était, et il a dit… il a dit que je pouvais venir chercher Miguel. Alors, comme une idiote, j'ai sauté dans le premier avion sans réfléchir. Oh, Jason, c'est affreux ici... Tu dois venir nous chercher. Miguel va bien, mais il est effr...

Il y eut des craquements sur la ligne, puis la voix de Varajas résonna à l'oreille de Jason, basse, suave.

— Alors, vous voyez, *El Medico* ? Pas d'opération, pas de petite amie.

— J'ai compris.

— Je regrette, *senor.* Vous m'avez forcé à prendre des mesures drastiques. Après vous avoir parlé, j'ai appelé la *senorita* Collins. Elle a beaucoup d'affection pour mon petit-fils, ajouta le Mexicain en ricanant. Je l'aurais appris sans mes espions, bien sûr. Tout le village s'en rendait compte. J'ai dit à la *senorita* Collins que le garçon était à elle si elle venait le chercher.

— Vous l'avez attirée là-bas en utilisant votre petit-fils comme appât ? s'écria Jason avec dégoût.

Il voyait parfaitement ce qui s'était passé. N'obtenant pas de lui ce qu'il voulait, Varajas avait décidé de faire pression sur lui pour le forcer à l'opérer. Miguel avait servi d'appât à Kendal. Et Kendal servait d'appât pour lui.

— Le gamin ne m'intéresse pas, poursuivit froidement Varajas. Pourquoi voudrais-je garder auprès de moi un rappel constant de la désobéissance de ma fille ? Un souvenir du stupide *zapatista* qui l'a mise enceinte et qui, ai-je besoin de le préciser, est mort maintenant ?

Jason ignorait complètement de quoi parlait ce malade, et il s'en moquait. Tout ce qui comptait pour lui, c'était la sécurité de Kendal.

Il entendit un cri de femme en arrière-plan.

— Ne la touchez pas !

— Elle n'a rien, dit doucement Varajas. Mais elle n'aime pas m'entendre parler ainsi de Miguel, je suppose. Le fait est que je ne peux pas garder ce garçon. Je vais bientôt quitter le Chiapas, et je ne peux pas m'embarrasser d'un gosse.

— J'exige de m'entretenir de nouveau avec Kendal.

— Bien sûr. Elle est ici. *Uno momento.*

Debout derrière son bureau, Jason passa une main dans ses cheveux en s'efforçant d'élaborer un plan d'action.

Puis Kendal prononça son nom, et son cœur se serra d'une douleur indicible.

— Tiens bon, mon cœur. Je saute dans mon avion et j'arrive aussi vite que je peux.

— Non, Jason. C'est exactement ce qu'il veut. Ne viens pas.

— As-tu un téléphone portable ?

— Non. Ils me l'ont confisqué.

— Prends soin de Miguel, mon cœur, et laisse-moi m'occuper du reste.

— Jason, ne viens pas. Je… nous allons bien. Il ne nous fera aucun mal tant qu'il croira pouvoir obtenir ce qu'il désire et…

Il y eut des bruits dans l'appareil et il comprit qu'on lui arrachait le téléphone.

— Je crois que vous allez venir, *senor.*

— Espèce de salaud ! cracha Jason, hors de lui.

— C'est vrai, répondit Varajas. Mais la question n'est pas là. Quand arrivez-vous ?

— Où dois-je me rendre ?

— Inutile de vous préoccuper de la destination. Je sais que vous avez un avion. Atterrissez à Tuxtla — seul — et nous vous conduirons à mon hacienda.

Ainsi, Varajas gardait Kendal en otage dans quelque campement isolé.

Il avait beau réfléchir à toute allure, Jason ne voyait pas de solution au problème pour l'instant car il n'avait aucune idée de l'endroit où se cachait Varajas. Sur les hautes terres de l'Est, la forêt tropicale était inextricable et dangereuse.

— Je pars ce soir, dit-il, les mâchoires serrées.

— Bien entendu, je prendrai toutes vos dépenses à ma charge.

— C'est extrêmement généreux à vous…

Varajas ignora le ton insultant.

— Et je garantirai votre sécurité et celle de la femme pendant votre voyage de retour aux Etats-Unis. Je veillerai à ce que vous disposiez de tout l'équipement médical dont vous aurez besoin à votre arrivée. Vous pourrez réaliser l'intervention ici, chez moi. C'est un endroit doté de tout le confort. Quand vous serez satisfait de mon état, vous pourrez regagner les Etats-Unis avec la femme. Sain et sauf.

Ce type était complètement fou.

— Je ne peux pas vous opérer tout seul. Ce genre de procédure exige un travail d'équipe.

— Je vous fournirai tout le personnel auxiliaire qu'il vous faudra.

Jason réfléchit rapidement. Il proposerait à Ruth de venir avec lui. D'abord, parce que personne n'avait son niveau de compétence pour l'assister. Ensuite, parce qu'elle était forte, intelligente, et qu'une alliée de plus — voire un témoin de plus, avec des liens aux Etats-Unis — ne pouvait qu'être un atout dans cette affaire.

Et puis, Kendal et Ruth s'entendaient bien. La jeune femme et Miguel pourraient avoir besoin d'une bonne infirmière quand il ne serait pas avec eux. Il n'aimait pas demander cela à sa vieille collaboratrice dévouée, mais il fallait espérer que l'épreuve ne s'éterniserait pas.

Dès qu'il aurait raccroché, il appellerait la cavalerie à la rescousse, leur demandant toutefois de ne pas intervenir avant qu'il ait mis Kendal et Miguel en lieu sûr.

— J'insiste pour emmener mon infirmière en chirurgie, dit-il d'un ton ferme. Elle est la seule capable de m'assister convenablement pour une opération aussi complexe.

Il y eut un long silence tendu, et Jason fut pris de panique en se demandant si la communication n'avait pas été coupée.

— D'accord, amenez-la, grommela finalement Varajas. Mais personne d'autre. Et ne commettez pas la bêtise de prévenir les autorités américaines ou mexicaines. Vous atterrirez à Tuxtla Gutiérrez, et vous nous aviserez de l'heure. Mes hommes vous attendront pour vous escorter jusque chez moi.

« Bien sûr, avec un fusil pointé dans les côtes. »

La rage bouillonnait en Jason, colère autant contre lui-même que contre ce salaud. Il aurait dû écouter

Kendal et combattre les hommes qui avaient emmené Miguel. Il n'aurait jamais dû la forcer à leur remettre l'enfant ce jour-là, au vieil hôtel.

— Je préviens la clinique que je dois m'absenter et je vous rappelle, reprit-il avec un calme qui l'étonna lui-même.

— Je comprends.

— Kendal Collins et Miguel ont intérêt à être en bonne santé à mon arrivée…

— *Senor,* je n'ai rien de personnel contre la *senorita*. Tant que vous ferez ce que je vous demande, elle et l'enfant seront en sécurité.

— Passez-la-moi de nouveau.

— Bien sûr.

Il y eut des craquements sur la ligne, puis la voix terrifiée de Kendal résonna dans l'écouteur.

— Jason ?

— T'ont-ils fait du mal, mon cœur ?

— Non. Ça va.

— Et Miguel ?

Pour une brute comme Varajas, le petit garçon n'était qu'un pion, voire une gêne. On ne s'était sans doute pas beaucoup soucié de lui.

— Nous devons l'emmener d'ici.

— Essaie de ne pas t'inquiéter, ma douce. Nous le sortirons de là, et nous prendrons bien soin de lui désormais, je te le promets.

— Oh, Jason…

Elle avait baissé la voix, se mettant à chuchoter comme pour lui confier un secret, en dépit des armes probablement braquées sur elle.

— Je t'aime.

Il y eut un long silence atroce au cours duquel Jason craignit qu'on ne lui arrache encore l'appareil. Pas maintenant. Pas maintenant, alors qu'il voulait lui faire l'aveu le plus important de toute sa vie. Lui dire les mots qu'il aurait dû lui dire depuis longtemps.

— Je t'aime aussi, mon amour, murmura-t-il.

— Jason..., souffla-t-elle dans un sanglot étouffé.

— Je t'ai toujours aimée, enchaîna-t-il précipitamment, avide de tout lui dire au cas où il se passerait quelque chose...

Non. Il n'arriverait rien. Il saurait l'empêcher.

— Je t'aime. Tu comprends ?

— Oui.

— Je t'aime depuis la première fois où je t'ai vue, et chaque jour passé n'a fait que renforcer mes sentiments pour toi.

Elle pleurait à présent, et il l'entendait ravaler ses sanglots.

— Mon amour, j'ai besoin que tu sois forte. Pour Miguel. J'arrive, et je te jure que je vous sortirai de là aussi vite que je pourrai.

— D'accord, dit-elle d'une voix faible qui lui parut venir de très loin. Dépêche-toi, s'il te plaît. Et fais ce qu'il t'a dit. Ne parle à personne de cette histoire.

— C'est promis, ma douce.

Il faudrait bien qu'il contourne cette promesse, mais il était certain que Varajas et ses sbires écoutaient leur conversation sur un autre poste, et il fallait donner le change.

— Personne ne saura où je me rends, sauf Ruth.

Mais avant de téléphoner à Ruth, il passerait un autre appel. Il s'agissait en effet d'un incident international, et il devait prévenir les autorités américaines. Mais avec l'aide de Ben, il arriverait peut-être à les convaincre d'attendre le bon moment pour intervenir.

— Tiens bon. J'arrive aussi vite que possible.

Kendal avait pris de gros risques. Et dans les minutes qui avaient suivi son arrivée au Chiapas, elle avait compris qu'elle était tombée dans un piège.

On était venu la chercher à l'aéroport de Tuxtla Gutiérrez dans une Land Rover dernier cri qui lui avait mis la puce à l'oreille. Comment les pauvres *zapatistas* censés avoir recueilli Miguel pouvaient-ils s'offrir ce luxueux véhicule ?

Feignant de ne pas comprendre l'espagnol, elle avait vite appris la vérité en écoutant la conversation des trois hommes qui l'accompagnaient.

Ils travaillaient pour Varajas, le grand-père de Miguel. Ils la conduisaient à une hacienda perdue au fin fond de la jungle. Apparemment, elle était une sorte d'otage, à traiter *con los gantes*, avec des gants.

Pire encore, c'étaient ces hommes qui avaient assassiné Lucia. Et en entendant l'homme appelé Flaco décrire complaisamment comment il avait battu la jeune femme à mort parce qu'elle avait défié son père et voulu faire soigner son fils, Kendal avait cru qu'elle allait vomir. Il lui avait fallu faire appel à toute sa volonté pour garder un visage impassible.

Lucia l'avait appelé *Chancho*. L'homme était bien un porc. Et Miguel l'avait reconnu. Le cœur au bord des lèvres, Kendal s'était demandé si l'enfant l'avait vu maltraiter sa mère.

Ils n'avaient commencé à la traiter en captive que lorsqu'ils eurent franchi les montagnes, et alors qu'ils descendaient l'étroite piste qui s'enfonçait dans la jungle.

Alors, l'homme assis à l'arrière — le surnommé *Chancho* — avait sorti une arme. Se servant du canon pour écarter les pans du chemisier de Kendal, il avait glissé le métal froid sur sa peau avant de l'enfoncer brutalement à hauteur de son cœur, arrachant à la jeune femme un cri étouffé.

Le brigand assis à l'avant s'était retourné, un grand sourire dévoilant des dents en or.

— *Senorita,* vous dansez la *macarena* de façon très sexy…, avait dit Flaco en dialecte local.

Kendal avait pris conscience à cet instant que c'était lui qui les avait épiés à la discothèque *El Foco*. Sous son regard concupiscent, elle avait senti un frisson la parcourir, comme ce soir-là, à San Cristobal.

L'homme avait abaissé son arme.

— Vous danserez peut-être pour moi très bientôt, hein ? On se trouvera peut-être une petite tente dans la forêt…

Le cœur fou, elle s'était rendu compte que cet homme ou un de ses acolytes avait dû les espionner quand Jason et elle avaient passé la nuit sous la tente. Que savait-il encore ? Qu'elle comprenait l'espagnol, de toute évidence.

Eh bien, elle allait lui montrer à quel point elle maîtrisait cette langue !

— *Tendra que esperar, cabron !* avait-elle craché avec mépris.

La phrase signifiait *vous pourrez toujours attendre*, mais le dernier terme était sujet à interprétation.

Que Flaco le traduise par *bouc puant, salopard* ou autre amabilité du genre, c'était de toute façon une grave insulte.

Le visage impassible, le regard froid, elle l'avait défié sans sourciller, sûre que ce minable n'oserait pas toucher à un otage qu'il avait ordre de traiter « avec des gants ».

Mais Flaco avait levé son revolver comme pour la frapper et l'homme assis devant était intervenu.

— Flaco… *El Capitan* a dit qu'on ne devait pas lui faire du mal. Elle doit rester avec le gamin.

Flaco, *le Porc*, avait lancé à Kendal un regard mauvais qui lui donna la nausée.

— Quand *El Capitan* aura ce qu'il veut, il ne se souciera plus de ce qui peut arriver à la *chica*…

16.

Bien caché au fin fond de la jungle, le domaine de Varajas était mieux défendu qu'une forteresse, par du matériel de vidéosurveillance extrêmement sophistiqué, des chiens de garde, et des hommes en tenue paramilitaire armés de fusils d'assaut automatiques.

Kendal ignorait combien d'hectares entouraient la propriété protégée par de hauts murs, mais elle présuma que c'était immense. L'hacienda était une forteresse du XIXe siècle perchée sur un haut plateau avec une vue imprenable sur la vallée et les montagnes environnantes. La demeure proprement dite disparaissait sous une vigne vierge envahissante qui, avait supposé Kendal en frissonnant, devait grouiller d'insectes et de serpents répugnants.

Sous le feuillage impénétrable, elle avait deviné un dédale de balcons et de longues galeries en arcades en pierre rose pâle, agrémentés de grilles en fer forgé.

On l'avait escortée dans un large escalier de pierre et, passant une immense porte de bois, elle avait gravi encore quelques marches avant de s'engager dans un long passage voûté.

Au bout, une porte s'était ouverte, et elle avait vu Miguel. Assis sur le sol d'une pièce éclairée par une fenêtre en arcade, il semblait aller bien et jouait sagement, sous la surveillance d'une grosse femme que les gardes appelèrent la *ninera*, la baby-sitter.

Se précipitant dans la pièce, Kendal s'était agenouillée devant l'enfant. D'abord méfiant, il avait paru se détendre quand elle lui avait montré la médaille qu'elle portait à son cou, mais elle n'avait pas été autorisée à rester longtemps avec lui. Ensuite, on l'avait conduite dans une immense salle à manger où trônait une table d'au moins cinq mètres de long, sous un lustre tarabiscoté à moitié rouillé. Un homme d'âge mûr y était assis.

— Je suis Benicio Varajas.

Ses yeux s'habituant à la pénombre, Kendal s'était rendu compte que c'était l'individu le plus grotesque qu'elle ait jamais vu. Il partageait certaines difformités initiales de Miguel, comme les yeux exorbités et le menton fuyant, mais c'était son expression froide et cruelle qui lui avait fait détourner le regard.

— Nous nous sommes parlé au téléphone, avait-il dit d'une voix sifflante qui lui avait arraché un frisson de dégoût. Et j'ai aussi appelé votre amant le docteur. Il ne s'est pas montré coopératif. Peut-être le sera-t-il davantage maintenant que vous nous avez rejoints…

Kendal avait eu du mal à garder courage, se répétant qu'au moins, Miguel était en bonne santé. Et entendre la voix de Jason deux heures plus tard au téléphone l'avait sauvée du désespoir.

Mais attendre son arrivée la moitié de la nuit avait été une effroyable torture.

Quand le crissement des roues de la Land Rover sur les cailloux de la piste la réveilla, elle se redressa sur sa couche, le cœur battant. Courant à la fenêtre, elle vit le toit du véhicule traverser la clairière sous la lune et s'immobiliser dans la cour illuminée par des projecteurs. Les portières s'ouvrirent, et deux hommes armés descendirent.

Puis elle vit Jason et ses yeux se remplirent de larmes. Il leva les yeux vers la fenêtre obscure où elle se tenait, comme s'il sentait sa présence, et elle porta la main à sa bouche pour réprimer un sanglot.

Il était débraillé, mal rasé, et il avait les cheveux hérissés dans tous les sens, les vêtements froissés. Mais jamais elle ne l'avait trouvé aussi beau.

Le cœur de Kendal sombra quand elle vit la tête blonde de Ruth émerger de la Land Rover. *Oh, non !* Mais bien sûr, Jason ne pouvait pas réaliser l'intervention complexe qu'exigeait Varajas sans l'aide de son assistante.

Jason se retourna et prit la main de Ruth.

Main dans la main, ils traversèrent la cour, un fusil d'assaut braqué dans leurs dos. En haut de l'escalier de l'hacienda, Varajas venait d'apparaître.

Kendal jeta un coup d'œil à Miguel endormi et réveilla la *ninera*.

— S'il y a un problème, protégez-le, dit-elle.

Se précipitant vers la porte, elle se trouva nez à nez avec Flaco.

— Conduisez-moi en bas, ordonna-t-elle en espagnol.

Il lui saisit le bras sans ménagement et l'entraîna dans la galerie voûtée, ouvrant d'un coup de pied la succession de lourdes portes qui lui barraient le passage.

Dans la cour, elle se dégagea d'un geste sec et courut dans les bras de Jason.

Du haut des marches, Varajas leva la main pour empêcher Flaco de la poursuivre.

— Laisse-les faire, dit-il. Je veux qu'il se rappelle ce qu'elle représente pour lui.

Jason la serra à la briser, mais elle ne songea pas à se plaindre.

— Tu vas bien ? s'enquit-il d'une voix rauque, le visage dans ses cheveux.

Elle hocha la tête, incapable de parler. Jamais elle ne s'était sentie aussi en sécurité que dans ces bras chauds, solides.

— Laisse-moi te regarder, murmura-t-il en lui soulevant le menton pour scruter son visage. Où est Miguel ?

— Au premier étage, répondit-elle, recouvrant enfin sa voix. Il va bien.

Elle jeta un coup d'œil furtif aux bandits qui les surveillaient.

— Certains comprennent l'anglais, chuchota-t-elle.

— Je m'en doutais.

Kendal tendit la main à Ruth qui se tenait à l'écart, seule, effrayée.

— Merci, murmura-t-elle en l'étreignant avec émotion.

— Ça va aller, dit Jason en glissant un bras autour de leurs épaules. Je vais faire cette opération dès que possible et nous partirons d'ici.

Puis il les entraîna vers l'escalier pour affronter leur adversaire.

Varajas insista pour qu'ils examinent soigneusement la pièce préparée pour l'intervention, et Kendal ne revit Jason et Ruth qu'une heure plus tard.

Quand leur gardien ferma la porte de leur chambre, elle se précipita dans ses bras.

— Tout ira bien, ne t'inquiète pas, chuchota-t-il.

— Qu'attend-il de toi exactement ? murmura-t-elle pour ne pas réveiller Miguel.

— Il veut que je lui fasse une reconstruction faciale.

Tu peux ? Dans ce bled perdu ?

— Nous ferons de notre mieux.

— Les mains de Jason sont notre principal atout, intervint Ruth derrière lui.

Kendal se tourna vers elle et la prit aux épaules.

— Oh, Ruth ! Je n'arrive pas à croire que vous soyez venue aussi.

— C'était ma décision. Jason m'a laissé le choix.

— Sauf que je vous ai menacée de vous virer.

— Je démissionne…, répliqua Ruth, pince sans rire.

Mais Kendal n'était pas d'humeur à plaisanter après ses vingt-quatre heures de captivité.

— C'est moi qui vous ai fourrés dans ce guêpier, marmonna-t-elle en se frottant les yeux. Et vous êtes prêts à risquer votre vie pour Miguel et moi, surtout vous, Ruth…

— Je suis venue parce que j'ai de l'affection pour vous deux. Et il n'était pas question de laisser Jason affronter ce salaud tout seul.

— Rappelez-moi de vous donner une *énorme* prime de Noël, commenta Jason avec un sourire qui manquait d'éclat ce soir.

Puis il se tourna vers Kendal.

— On nous surveille ? demanda-t-il à voix basse.

— C'est possible.

— En tout cas, je me réjouis qu'il y ait quelqu'un pour nous aider à nous occuper de vous et Miguel, observa Ruth avec un regard éloquent à la grosse femme qui veillait sur l'enfant endormi, indiquant subtilement que la *ninera* pouvait être une espionne.

Kendal ne pensait pas que Flora comprenait l'anglais, et elle refusait de croire que la paysanne rapportait à Varajas tous ses faits et gestes, mais il valait mieux se montrer prudent.

— Flora, voici Ruth et le Dr Jason, dit-elle. Flora est la baby-sitter de Miguel, et elle s'occupe très bien de lui.

Ruth s'approcha pour serrer la main de la grosse

femme puis elle se pencha vers Miguel pour vérifier s'il avait bien cicatrisé et s'il avait grandi.

Jason entraîna alors Kendal dans un coin sombre de la pièce, près de la fenêtre baignée par la lueur blafarde de la lune. Là, il prit son visage entre ses mains et l'embrassa. Doucement, lentement. D'abord plus léger qu'une plume, le baiser se fit peu à peu plus ardent, puis carrément passionné.

Ils n'avaient pas besoin de parler. Mais il y avait des mots que Kendal voulait prononcer, même s'ils avaient déjà été dits de bien d'autres façons.

— Jason, je pensais ce que je t'ai confié au téléphone, chuchota-t-elle. Je t'aime… Et je ne te dis pas ça parce que tu es venu à mon secours. Je t'aime. J'ai pensé que tu devais le savoir, au cas où…

— Chut…

Il lui donna un baiser léger avant de plonger son regard dans le sien.

— Il ne se passera rien. Nous partirons d'ici sains et saufs. Tu as compris ?

Elle acquiesça.

— Tu dois le croire, Kendal. Il faut me faire confiance.

Il approcha la bouche de son oreille et murmura :

— J'ai un plan… Et j'étais sincère moi aussi quand je t'ai fait cet aveu. Je t'aime…

Kendal se figea. Entendre ces paroles alors qu'elle était dans ses bras était infiniment plus bouleversant que les entendre au téléphone.

Les yeux noirs de Jason scintillaient au clair de

lune comme deux éclats d'obsidienne et elle songea qu'elle n'avait jamais rien vu de plus beau. Il s'inclina vers elle et l'embrassa de nouveau.

— Oh, Jason… Quand t'es-tu aperçu que tu étais tombé amoureux de moi ?

— Dès le début, je crois. Seulement j'avais trop peur pour l'admettre.

— Peur de quoi ?

— Peur de te perdre. Je n'ai rien éprouvé de tel depuis que j'ai perdu Amy… et je craignais de connaître encore la même souffrance, je le sais maintenant.

Elle pressa le front contre son torse.

— A cause de la façon dont elle est morte ?

Elle le sentit se raidir contre elle. Puis il se détendit, et elle comprit qu'il n'y aurait plus jamais de secrets entre eux.

— Oui, dit-il.

La douleur qui vibrait dans sa voix lui perça le cœur.

— Tu étais si jeune quand ce drame t'est arrivé, Jason. Il est normal qu'il t'ait laissé des cicatrices.

— Quelle ironie, n'est-ce pas ? Je passe mon temps à réparer celles des autres, mais personne ne peut me soigner…

— C'est faux. Nous pouvons trouver quelqu'un pour t'aider.

— Je ferai n'importe quoi pour toi… Comment as-tu appris ce qui était arrivé à Amy ?

— Angelica me l'a dit, après l'opération de Miguel.

— Elle t'a tout raconté ?

Kendal hocha la tête, la joue contre sa chemise.

— Alors, pendant tout ce temps, tu savais donc ?

Elle acquiesça de nouveau.

— Je comprenais pourquoi tu te comportais ainsi, mais cela ne changeait rien au fait que tu devais prendre conscience que tu m'aimais et t'engager envers moi pour que je me sente en sécurité. Je suis comme ça, Jason. J'ai besoin de sécurité.

— Nous avons perdu tant de temps... Mais je suppose qu'il est vain de faire comme si nos blessures étaient guéries tant qu'elles ne le sont pas vraiment. Et certaines demandent plus de temps pour guérir.

A la pâle lueur de la lune, Kendal vit ses yeux se remplir de larmes quand il poursuivit :

— Je croyais avoir surmonté tout ça en réussissant mes études de médecine et en aidant les gens. Je me répétais que c'était le passé et que ça n'avait plus d'importance. Je me rends compte à présent que je ne faisais que fuir la souffrance. Mais il faudrait que je sois un imbécile pour laisser mes vieux chagrins m'éloigner de toi. La première fois que je t'ai fait l'amour...

Elle posa un doigt sur sa bouche avec un regard éloquent vers Ruth et Flora. Leur histoire était trop sacrée pour qu'ils la partagent avec d'autres.

Mais les deux femmes dormaient, Flora blottie dans un fauteuil, Ruth gracieusement recroquevillée au pied du lit de Miguel.

— La première fois que je t'ai fait l'amour, lui chuchota Jason à l'oreille, j'ai eu l'impression de mourir. Je n'étais pas sûr de pouvoir fonctionner normalement le lendemain, de pouvoir opérer…

Elle lui jeta un regard malicieux.

— Je me suis pourtant efforcée d'être douce.

Il sourit et déposa un baiser sur son front.

— C'était ton cœur qui s'ouvrait enfin, Jason, murmura-t-elle en posant la tête au creux de son épaule.

Elle l'entendit déglutir.

— Ne t'es-tu pas aperçue que j'étais en train de mourir à l'intérieur ?

— Non, répondit-elle avec sincérité. A part ce cauchemar, je n'ai vu aucun changement en toi. J'ai cru que tu étais physiquement attiré par moi, c'est tout. J'ignorais que tu avais des sentiments pour moi.

Il secoua la tête.

— Je n'avais rien ressenti de tel depuis mes dix-sept ans. J'avais renoncé à l'amour. Au début, j'ai pensé que tu ne serais qu'une conquête parmi d'autres, puis…

— Et puis ? l'encouragea-t-elle.

— Et puis nous avons fait l'amour, et j'ai éprouvé quelque chose que je n'avais jamais connu avant. J'ai essayé de me convaincre que c'était dû à l'environnement exotique…

— Tout comme moi !

— Curieux, non ? Je n'arrêtais pas de penser à toi.

— Moi aussi…

— Et il n'y a pas que ça d'étrange. Quand nous sommes rentrés à Oklahoma City, j'ai voulu rencontrer une autre femme. Je pense que je voulais t'oublier après que tu m'as repoussé.

— Je regrette de t'avoir blessé, dit-elle en se blottissant contre lui. Je ne savais plus quoi faire.

Il lui releva le visage et le couvrit de baisers.

— Je sais que tu m'as pris pour un sale type superficiel et sans cœur à cause de mon comportement envers Miguel, et tout le reste… Mais tu ne peux pas imaginer tous les enfants que j'ai dû abandonner là-bas… J'avais beau savoir que Miguel était différent pour toi, je me répétais qu'on ne pouvait pas l'emmener, et que ça n'avait pas d'importance. J'ai même essayé de me persuader que *tu* n'avais pas d'importance. Mais tu comptes pour moi… Plus que n'importe qui au monde.

— Oh, Jason…

Il l'embrassa encore. Un baiser léger, tendre. Lourd de signification, chargé d'amour.

— Et l'autre femme ?

— J'ai couché avec elle.

— Vraiment ? C'est nul.

— De faire l'amour ?

— Non. De m'en parler. Et puisque nous abordons ce sujet, laisse-moi préciser une chose. Dorénavant, tu vas renoncer à être Le Loup, Jason, parce que je…

Il posa ses lèvres sur les siennes pour la faire taire.

— Facile. Tu veux savoir pourquoi ? Quand j'étais avec cette femme… c'est à toi que je pensais.

— Tu ne manques pas de culot…

Il la serra dans ses bras en riant doucement.

— Tu sais très bien ce que je veux dire. J'étais avec une autre et ton image me hantait. C'est là que j'ai compris que j'étais fichu. Que tu étais la seule et unique pour moi. Pour toujours.

— Qu'est-ce que tu viens de dire ?

— Tu dois tout savoir… Nous allons vivre des jours difficiles et nous devrons nous montrer forts. Alors, je ne veux pas attendre pour t'avouer toutes ces choses, cela nous soutiendra dans les épreuves qui nous attendent.

Il prit une profonde inspiration.

— Kendal, je ne peux plus imaginer la vie sans toi. Je veux que nous… que nous ayons un avenir ensemble. Veux-tu m'épouser ?

Un court instant, Kendal songea à tout le temps qu'il avait fallu pour que Phillip et elle parlent mariage. A tous les efforts qu'elle avait dû fournir pour que cette relation existe. Toutes les négociations. Tous les compromis. Et du fond du cœur, elle remercia le ciel que sa relation avec Phillip ait échoué et qu'il lui ait envoyé cet homme à la place.

Jason était l'homme de sa vie. Le seul et unique. Et cette demande en mariage chuchotée dans la jungle hostile et étouffante, à la lueur surréaliste de cette lune étrangère, lui semblait toute naturelle.

— Oh, oui, Jason, oui, je le veux.

Il l'embrassa pour sceller leur engagement.

— C'est merveilleux, chuchota-t-elle, tout excitée.

— Il paraît, murmura-t-il avec une arrogance feinte, lui mordillant tendrement les lèvres.

Elle s'écarta avec un sourire malicieux.

— Je ne parlais pas de tes baisers. C'est la première fois de ma vie que je suis aussi sûre de mes sentiments, et nous ne nous connaissons que depuis deux mois !

— Parfois, même si c'est rare, quelques minutes suffisent, répliqua-t-il en lui rendant son sourire, et elle vit que la paix était revenue dans son regard, dans sa voix. On *sait*, c'est tout. Le reste n'est que formalité. S'assurer que le moment est bien choisi. S'habituer l'un à l'autre. Régler les petits détails, comme arracher un petit garçon à son horrible grand-père et l'adopter légalement…

Elle tourna la tête vers Miguel.

— Comment allons-nous faire ?

— Je vais inclure Miguel dans le marché. Si Varajas sait que nous allons l'adopter, peut-être acceptera-t-il.

— Je l'ai entendu dire qu'il voulait quitter le Mexique pour se rendre en Amérique du Sud. Mais pour ça, tu devras modifier son visage. Les autorités du monde entier le recherchent sous son aspect actuel.

— Oh, je vais lui refaire le visage. Pour de bon.

Varajas accepta presque trop facilement de laisser partir Miguel.

— La pauvre mère de ce garçon est morte, dit le vieil homme avec une tristesse affectée, et je suis son seul parent. Je suppose que je peux vous faciliter les démarches, puisque je suis son tuteur légal depuis le décès de ma douce Lucia. Je ne devrais pas avoir de problèmes pour vous le confier.

— Alors vous laisserez Kendal l'emmener ? L'adopter ?

— Je signerai les papiers nécessaires.

— Quand ?

— Je peux demander à un avocat de les apporter de Tuxtla.

— Même si nous n'avons pas les papiers, je veux que nous partions avec l'enfant dès que l'opération sera terminée.

— Non, non, mon ami, protesta doucereusement Varajas. Vous ne quitterez pas cette hacienda tant qu'on ne m'aura pas ôté mes bandages et que je ne serai pas satisfait du résultat. Si vous me charcutez comme cet imbécile brésilien, vous mourrez. *Comprende ?* ajouta-t-il avec un sourire suave.

— Je comprends, répondit Jason sans élever la voix.

Dans sa sacoche, il avait caché une réserve de flacons de Paroveen. Les gardiens avaient confisqué son revolver, mais ils ne soupçonnaient pas qu'il détenait une autre arme.

L'anesthésiste que Varajas avait fait venir de Mexico était compétent, certes, mais il ne connaissait pas ce médicament qui venait de sortir sur le marché américain. Jason pourrait en administrer autant qu'il voudrait. Et il le ferait.

*
* *

Agité et irritable, Miguel s'en prenait de nouveau à ses dessins qu'il lacérait, et Kendal se demanda si elle ne lui communiquait pas son anxiété. Serrant la médaille de sainte Lucie dans sa main, elle pria pour la sécurité de Jason et Ruth en train d'achever l'opération de Varajas, et pour qu'ils s'échappent tous sains et saufs.

— L'enfant a besoin de jouer dehors, remarqua Flora à qui la réclusion commençait à peser depuis trois jours qu'ils étaient consignés dans leur chambre.

— Je sais, soupira Kendal en allant à la fenêtre pour regarder dehors. Mais pas maintenant. Il y a des gardes qui patrouillent dans la cour avec des mitraillettes.

Et les heures passèrent, interminables.

Enfin, Jason et Ruth regagnèrent le quartier des captifs.

C'est fait, grommela-t-il en serrant Kendal dans ses bras.

Devant un petit brasero, Flora préparait une infusion de camomille pour les *medicos* fatigués. Les deux femmes avaient survécu ainsi depuis trois jours, n'ayant de contact qu'avec leur gardien quand elles sortaient dans le couloir pour utiliser la salle de bains.

Régulièrement, Jason allait vérifier l'état de Varajas, mais il avait été confié aux soins de deux excellentes infirmières mexicaines formées à l'hôpital de Houston.

Il ne leur restait plus qu'à endurer leur réclusion en attendant qu'on enlève ses bandages à Varajas. Au cours de cette période de tension, Jason et Kendal réussirent à voler quelques précieux instants d'intimité pour se parler d'amour.

Chaque soir, avant de sombrer dans un sommeil agité, allongés près du lit de Miguel, ils se juraient de survivre à cette aventure et de se construire un avenir avec l'enfant.

Le quatrième jour, le petit garçon, dont la bouche était maintenant bien cicatrisée, déclara en espagnol :

— Mauvais homme fait mal à maman.

Kendal traduisit pour Jason.

— Il est intelligent, commenta-t-il. Tu crois que c'est ce que montraient ses dessins ?

— Oui. Et s'il a vu quelqu'un maltraiter Lucia, qu'a-t-il vu d'autre ?

— Et que pourra-t-il raconter maintenant qu'il est capable de s'exprimer ?

Ils échangèrent un regard qui en disait long sur leur inquiétude de nouveaux parents.

— Comment empêcher un enfant de trois ans de parler ? Nous devons le sortir d'ici, Jason.

— Nous l'emmènerons. Je te le promets, dit Jason.

Malgré son excellent travail de reconstruction faciale, Jason songea qu'il n'avait jamais vu plus laid ni plus froid que le visage vaniteux qui se reflétait dans le miroir.

Varajas leva le menton et grommela en désignant son cou.

— Je crois qu'il veut savoir quand cette ecchymose

disparaîtra, dit une des infirmières, tandis que le gros bandit nommé Falco montait la garde au fond de la pièce.

— Dans quelques semaines, mentit Jason.

Il espérait qu'après vingt-quatre heures d'exposition à la lumière du soleil, le visage de Varajas montrerait des marques pourpres dues au surdosage de Paroveen — trois fois la dose normale. Il avait prévenu les autorités de cette anomalie physique qui devrait leur permettre d'identifier le tucur dès qu'il montrerait son nouveau visage dans le monde civilisé.

— Satisfait du résultat ? s'enquit Jason, impatient de conduire Kendal, Ruth et Miguel en sécurité.

— *Si. Magni…*

— *Magnifico,* acheva l'infirmière.

Pour l'instant, le patient ne pouvait s'exprimer que par monosyllabes, mais Jason crut percevoir dans sa voix une hostilité marquée qui l'inquiéta.

— Je ne peux rien faire de plus pour vous, dit-il, se penchant pour regarder dans le miroir et soutenir son regard froid. Il faut vous reposer maintenant.

— *Si,* grommela Varajas en retombant sur ses oreillers.

Jason se demanda si le Paroveen ne l'affaiblissait pas en éliminant trop de potassium de son organisme. En tout cas, il n'avait pas l'intention d'inverser le processus.

— Je veux partir immédiatement, dit-il.

Il nous faut le temps de faire le plein de votre avion, *senor,* dit Falco dans l'ombre.

— Eh bien, faites-le.

Falco claqua des doigts, et ne daigna même pas poser les yeux sur le domestique obséquieux qui se matérialisa devant lui. Ses yeux durs fixés sur Jason, il lui jeta rapidement ses instructions en espagnol.

Mais le regard sournois du serviteur mit Jason mal à l'aise. Et il regretta que Kendal ne soit pas là pour lui traduire les ordres de Falco.

Blottis les uns contre les autres, Kendal, Miguel et Ruth attendaient sur un lit quand Jason fit irruption dans la chambre.

— Fichons le camp d'ici.

Les deux femmes échangèrent un regard.

— Il nous laisse partir ? demanda Kendal comme Jason rassemblait déjà les maigres affaires de Miguel.

— Oui. Prépare Miguel.

— Il est prêt, dit-elle.

Elle se leva et prit l'enfant dans ses bras pendant que Ruth s'empressait d'attacher ses sandales.

— On s'en va maintenant ? s'enquit Kendal qui n'arrivait pas à croire que leur captivité arrivait enfin à son terme.

— Oui. La jeep nous attend dehors.

Soudain, Falco apparut sur le seuil.

— *Chancho !* articula Miguel, son petit doigt pointé sur l'obèse.

Falco le regarda, les yeux plissés.

— Il parle maintenant ?

— Très mal, répondit Kendal en nichant la petite tête de l'enfant au creux de son cou. On ne comprend pas ce qu'il dit.

— Votre avion sera prêt à décoller de l'aéroport de Tuxtla dans une heure, docteur, continua Falco sans quitter Miguel des yeux. Si vous permettez, je vous accompagne à la jeep…

Puis le gros homme tendit le bras pour les inviter à le suivre, tel un gentleman escortant ses invités.

Quand ils arrivèrent dans la vallée humide où était située Tuxtla Gutiérrez, le soleil commençait à pointer derrière les montagnes qu'ils avaient laissées derrière eux.

L'avion de Jason les attendait sur une aire de décollage privée, et leurs gardiens les poussèrent sans ménagement dans l'appareil.

— Monte devant au cas où j'aurais besoin d'un navigateur, Kendal ! cria Jason pour couvrir le grondement des moteurs.

A contrecœur, Kendal laissa sa place près de Miguel à Ruth, et s'installa à la place du copilote.

Décollant aussitôt, Jason prit la direction nord nord-est, droit vers le Texas.

Comme ils gagnaient de l'altitude, Kendal murmura une prière d'action de grâces. Si les réservoirs de carburant étaient pleins, ils n'auraient pas à faire escale avant d'avoir franchi la frontière du Texas. Ils ne s'arrêteraient pas avant d'être en sécurité. Enfin.

C'est à l'instant où elle formulait cette pensée qu'ils s'aperçurent de la fuite de carburant…

17.

— Jason ! Tu crois qu'on va s'en sortir ?

Affolée, Kendal scrutait les jauges de carburant.

— Mettez vos gilets de sauvetage ! hurla de nouveau Jason. Soyez prêtes à déboucler vos ceintures dès que nous toucherons l'eau.

Kendal aida Ruth et Miguel à enfiler leurs gilets et jeta un regard horrifié aux jauges. Rien ne pouvait endiguer la fuite. Frénétique, elle tira une dernière fois sur le bouton rouge en une tentative dérisoire pour stopper l'écoulement de fuel.

Rien ne se produisit.

Jason lança son SOS à la radio, et lutta pour contrôler l'appareil qui plongeait droit vers la rivière en tanguant dangereusement.

Voulant faire quelque chose pour aider, Kendal tendit la main vers le levier commandant l'ouverture du train d'atterrissage, mais Jason hurla :

— Non ! Les roues se briseraient sur l'eau.

Elle scruta son visage crispé puis regarda les parois rocheuses rouges du Canyon del Sumidero qui défilaient à toute vitesse le long du hublot.

S'arrachant à l'horrible spectacle, elle posa une

main sur l'épaule de Jason et l'autre sur la petite jambe de Miguel en pleurs.

Jason se tourna légèrement pour lui embrasser les doigts avec une violence qui la meurtrit.

— Reste avec moi, chérie, dit-il, les dents serrées. On va s'en sortir, et cet immonde salaud ira en prison.

Il tira de toutes ses forces sur le manche pour redresser l'appareil qui piquait vers l'eau.

— Dès que nous toucherons l'eau, déboucle ta ceinture et ouvre la porte, ordonna-t-il.

L'avion perdait de la vitesse et les eaux brunâtres du Rio Grijalva défilaient sous son ventre, de plus en plus proches. Serrant la médaille de sainte Lucie, Kendal se mit à prier.

Jason poussa alors sur le manche et étouffa un juron.

L'amerrissage se fit étrangement en douceur. Il y eut une secousse quand l'appareil se cabra, l'arrière frappant l'eau en premier. Le fuselage s'inclina et, pendant un instant, il flotta à la surface, comme suspendu. Puis il commença à couler…

Déjà, Kendal s'acharnait sur la poignée de la porte.

— Je ne peux pas ouvrir ! cria-t-elle, poussant de toutes ses forces pour lutter contre la pression de l'eau qui montait, mais en vain.

Jason recula et cassa le pare-brise à grands coups de talon.

— Passez-moi le petit ! hurla-t-il à Ruth.

Elle lui tendit l'enfant hystérique et il s'insinua

dans l'orifice en le tenant sous le bras, suivi par les deux femmes.

Tandis que Jason, avec Miguel pressé contre lui, les encourageait de la voix, ils nagèrent aussi vite que le leur permettaient leurs gilets de sauvetage pour s'éloigner de l'avion qui sombrait.

Hors d'haleine, ils s'immobilisèrent, s'accrochant les uns aux autres. Fou de terreur, Miguel tendit les bras à Kendal qui le prit contre elle, puis ils regardèrent le nez de l'appareil disparaître dans l'eau.

— La balise de détresse… continuera à transmettre notre position, haleta Jason.

— Il y a des gens par ici ? demanda Ruth en haussant le ton pour couvrir les pleurs de l'enfant.

— Des bateaux touristiques passent par là.

Kendal suivit des yeux un martin-pêcheur qui plongeait à la recherche d'un poisson.

— Il doit y avoir des crocodiles dans cette rivière ?

— Probablement quelques-uns, répondit Jason. Mais c'est la nuit qu'ils sortent pour se nourrir.

La surface de la rivière était étrangement calme, toutefois le courant les entraînait lentement vers l'aval. Lointaines et constituées principalement de parois rocheuses escarpées, les rives ne leur offraient pas beaucoup d'espoir.

— Ne luttez pas contre le courant, conseilla Jason. Faites la planche.

Kendal réussit à calmer Miguel et le petit groupe parcourut quelques mètres en se laissant porter.

Puis le ronronnement d'un moteur d'avion se fit entendre et tous levèrent la tête pour scruter le ciel.

— Ce sont sûrement ces bandits, murmura Kendal. Tu crois qu'ils peuvent nous voir ?

— C'est probable.

Avec leurs gilets de sauvetage orange, ils étaient bien visibles au milieu de l'eau qui scintillait sous le soleil matinal.

Jason suivit des yeux l'appareil qui volait en cercles au-dessus de la rivière.

— Ne bougez pas. Le moindre geste peut troubler l'eau et causer des reflets qui nous rendront plus faciles à repérer.

Retenant leur souffle, ils virent bientôt l'appareil disparaître derrière le canyon.

— Il nous faut sortir de cette rivière, décida Jason.

Ce qui ne serait pas facile. En dehors de quelques rochers ou buissons occasionnels, il n'y avait que des falaises abruptes.

Battant des pieds, Jason les entraîna plus loin, et enfin, ils découvrirent une petite terrasse rocheuse assez large pour les accueillir tous les quatre. Se hissant dessus, ils s'écroulèrent, épuisés.

Miguel était nerveux, tirant sur son gilet de sauvetage pour l'enlever, réclamant à boire et, pour le distraire, Kendal lui chanta une chanson. Jason l'écoutait distraitement quand il crut percevoir un vague ronronnement qui se transforma bientôt en vrombissement d'un moteur de bateau. A l'instant où l'embarcation apparut au détour d'un méandre, il sauta sur ses pieds, et se mit à agiter les bras en criant.

Le pilote parut stupéfait en voyant ces quatre personnes trempées, abandonnées au milieu de nulle part. Tout comme ses passagers, trois couples d'Américains d'âge mûr, qui se ressaisirent très vite pour venir en aide aux rescapés en leur distribuant des bouteilles d'eau minérale. Une dame sortit même un parapluie de son grand sac pour protéger Miguel du soleil.

Jason leur raconta leur histoire. Et leurs sauveteurs n'eurent pas l'air autrement étonné des derniers méfaits de Varajas.

— Nous avons entendu parler des activités douteuses de cet homme dans notre mission, dit un des hommes, un monsieur distingué aux cheveux blancs.

Il se tourna vers le pilote pour lui ordonner de faire demi-tour puis reporta son attention sur les rescapés.

— Nous allons vous ramener à Chiapa de Corzo, où nous avons embarqué, déclara-t-il.

— Vous êtes missionnaires ? demanda Kendal, remarquant une croix au cou d'une femme.

Celle-ci hocha la tête.

— Vous ne connaîtriez pas Ben Schulman, par hasard ?

— Le gentil Ben ?

Kendal ne put s'empêcher de sourire. Apparemment, le surnom de Ben l'avait suivi jusqu'au Mexique.

— Oui. Un grand blond de l'Oklahoma.

— Bien sûr que nous le connaissons. En fait, il est

dans le bateau qui nous suit, avec des amis à lui, des missionnaires en visite des Etats-Unis.

D'un même élan, Ruth et Kendal se retournèrent pour voir si elles n'apercevaient pas leur ami dans leur sillage.

— Ben faisait partie d'une équipe médicale, et ils ont dû le laisser à la suite d'un incident dans la jungle, près de Tonina.

— Nous sommes cette équipe médicale ! s'écria Ruth, tout excitée.

— Mais ça s'est passé voilà des semaines…, remarqua le monsieur aux cheveux blancs d'un air perplexe. Je croyais que vous étiez rentrés aux Etats-Unis.

— Nous sommes revenus sauver ce petit garçon, expliqua Kendal. Je suis Kendal Collins, et voici Ruth Nichols…

— Je suis le docteur Bridges, dit Jason en serrant la main des missionnaires. Jamais je ne vous remercierai assez d'être venus à notre secours. Les bandits qui veulent nous tuer ont saboté les réservoirs de notre avion, et nous sommes tombés dans la rivière.

Les missionnaires parurent horrifiés.

— C'est un miracle que vous ayez survécu au crash. Il m'avait bien semblé entendre un vrombissement de moteur d'avion dans le canyon…

— Un instant, intervint l'homme aux cheveux blancs. Oh, Seigneur…

Il se précipita vers l'arrière où se tenait l'homme qui pilotait le bateau.

— Y a-t-il un autre chemin pour sortir du canyon ? cria-t-il pour couvrir le bruit du moteur.

Le Mexicain secoua la tête. *Non*. Il répondit en espagnol que ce ne serait pas possible avant une vingtaine de kilomètres.

— Alors, demi-tour ! hurla le missionnaire avec un grand geste de la main. Faites demi-tour !

Ne comprenant pas ces ordres contradictoires, le pilote commença à protester avec véhémence, et Jason, alerté par les voix, leur cria : « Que se passe-t-il ? »

— A l'embarcadère, alors que Ben et ses amis attendaient de monter à bord, des hommes ont arraisonné leur bateau, expliqua une femme. Ils prétendaient être à la poursuite de kidnappeurs. Connaissant bien la région, nous nous doutions que ces hommes n'étaient probablement pas ce qu'ils disaient être, mais Ben n'a pas discuté.

— Et il est monté dans le bateau suivant ? s'enquit Jason.

— Oui. Notre canot partait déjà et nous lui avons crié d'attendre le prochain et de nous rattraper plus tard. Nous ne nous sommes pas inquiétés car lui et ses amis sont assez grands pour se défendre… Je crois que mon mari essaie de trouver un moyen de vous sortir de ce canyon sans revenir sur nos pas car nous risquons de croiser ces bandits.

Soucieux, Jason échangea un regard avec Kendal puis il se précipita à l'arrière.

— Faites demi-tour, ordonna-t-il au pilote.

Mais il était trop tard. Ils entendaient déjà le ronronnement d'un moteur, et au détour d'une boucle de la rivière, ils virent une sorte de vedette foncer vers eux à toute allure, ses passagers armés de mitraillettes.

Jason saisit le parapluie qu'il ouvrit pour se dissimuler puis il poussa Kendal et Miguel vers le fond du bateau, fit de même avec Ruth, et s'allongea près d'eux.

— On reste là ! cria-t-il au missionnaire aux cheveux blancs qui fit signe qu'il avait compris. Ben est avec des agents du gouvernement qui vont nous aider.

— Les missionnaires qui l'accompagnent ? demanda une des femmes.

— Oui. Ce sont des représentants des autorités mexicaines, expliqua Jason. Ils attendaient que je les appelle quand j'aurais franchi le canyon. Et maintenant cachez-nous.

Les couples s'empressèrent de se rassembler, formant un groupe compact, et de telle façon que leurs jambes dissimulent leurs passagers aplatis au fond du bateau.

Etre couché sous le poids de Jason au fond d'un canot crasseux était une expérience traumatisante, et Miguel commença à pleurer en s'agitant.

Kendal grimaça en se voyant contrainte de plaquer une main sur sa petite bouche pour étouffer ses cris. Elle commença à lui fredonner une petite chanson à l'oreille pour essayer de le calmer, mais le moteur faisait moins de bruit à présent que le bateau perdait de la vitesse.

Elle entendit alors la voix gutturale de Flaco

ordonner à leur pilote de s'arrêter. Les moteurs des deux canots crachotèrent puis se turent.

Dans le silence qui planait maintenant, elle perçut le clapotement des vagues qui léchaient la coque.

Miguel geignit de nouveau et elle lui chuchota de se taire.

Comme les femmes missionnaires reprenaient en chœur la petite chanson mexicaine commencée par Kendal, la voix de Flaco rugit :

— *Callese !* Taisez-vous !

Son ordre fut suivi d'un tir de mitraillette qui ricocha sur la rivière.

Dans le silence qui suivit, Kendal entendit Flaco questionner le chef des missionnaires qui lui mentit de façon très convaincante.

— Nous cherchons des kidnappeurs qui ont enlevé le petit-fils du *senor* Javier Benicio Alvarez Varajas, déclara le bandit avec autorité. Ces criminels se sont échappés dans un petit avion. Nous pensons qu'ils ont atterri dans le canyon.

Le missionnaire lui répondit avec le respect et l'indignation de circonstance, comme s'il s'adressait à un représentant de la loi.

— Nous avons vu un appareil qui paraissait en difficulté passer au-dessus du canyon il y a une heure. Puis nous avons entendu une explosion, et, ensuite, nous avons repéré des débris sur l'eau. Je crains qu'il n'y ait pas de survivants.

A cet instant, Miguel poussa un cri, et Kendal se figea, consciente que la voix posée du missionnaire ne pouvait guère couvrir les gémissements de l'enfant.

Elle sentit que Jason se ramassait sur lui-même, prêt à passer à l'attaque.

Les femmes se mirent à bavarder avec agitation à propos du prétendu crash, s'interrompant mutuellement et se reprenant sur des détails. Mais leurs efforts arrivaient trop tard.

— *Callese !* tonna Flaco en braquant son arme sur elles. Ecartez-vous !

Et, d'un bond, il franchit l'espace séparant les deux embarcations.

Jason s'élança, sautant sur le bandit pour le désarmer, et les bateaux tanguèrent dangereusement tandis que les deux hommes s'empoignaient. Deux secondes plus tard, ils passaient par-dessus bord.

Pendant qu'ils luttaient dans l'eau, Jason vit un comparse de Flaco tendre le bras vers Miguel et, le saisissant par son gilet de sauvetage, l'arracher aux bras de Kendal.

La jeune femme essaya de reprendre l'enfant, mais les deux embarcations s'éloignaient rapidement l'une de l'autre. Quand Jason refit surface avec son adversaire, un bandit agrippait le petit garçon qui se débattait, tandis que l'autre pointait son automatique sur Kendal.

Les deux lutteurs disparurent de nouveau sous l'eau, puis Jason émergea et se jeta sur Flaco avec l'énergie du désespoir, le frappant de toutes ses forces. Quelques secondes plus tard, le truand, inconscient, flottait sur l'eau, le visage tourné vers le ciel.

Ses deux complices braquèrent leurs armes sur Jason en le voyant nager rapidement vers leur embarcation. Mais quand ils firent feu en même temps, rien ne se passa, car ils avaient épuisé leurs munitions. Sans demander leur reste, ils mirent leur moteur en marche pour prendre le large.

Mais Jason était bien décidé à ne pas commettre deux fois la même erreur. S'ils voulaient Miguel, ils devraient le tuer d'abord.

Fendant l'eau de son crawl puissant, il réussit à saisir le rebord du canot alors que celui-ci prenait de la vitesse, l'entraînant dans son sillage.

Un malfaiteur balança son arme en direction de sa tête, mais il l'esquiva. L'homme utilisa alors la crosse de la mitraillette pour le frapper sur les mains encore et encore et lui faire lâcher prise. Malgré la douleur, Jason tint bon et il parvint à passer une jambe par-dessus le bastingage pour se hisser à bord.

Le pilote abandonna alors la barre pour venir aider son comparse, mais Jason fit tanguer le canot et les deux hommes, perdant l'équilibre, furent renvoyés d'un bord à l'autre.

A cet instant, le vrombissement d'un nouveau bateau à moteur se fit entendre, et le pilote s'empressa de retourner à son poste. Mais il ne put prendre assez de vitesse pour éviter que l'embarcation qui transportait Ben et les agents gouvernementaux n'éperonne presque celle des bandits, et Ben sauta à bord.

Il roua de coups les deux hommes sous le regard terrifié de Miguel, recroquevillé à la proue. Malgré ses mains blessées, Jason se jeta dans la mêlée, se servant de ses coudes, de ses épaules, de sa tête. Les deux amis finirent par l'emporter et, balançant les voyous par-dessus bord, ils les regardèrent nager vers la rive, pourchassés par les agents du gouvernement.

Courant alors vers Miguel, Jason le souleva dans ses bras avec une grimace de souffrance. Ses mains étaient sans doute fracturées en plusieurs endroits, mais jamais son cœur n'avait connu un tel bonheur.

Le pilote du bateau missionnaire s'immobilisa près de l'autre, et Kendal sauta à bord pour les rejoindre.

Elle les entoura de ses bras et regarda Jason, les yeux pleins de larmes.

— Je t'aime tant…

On les ramena à l'embarcadère de Chiapa de Corzo. De là, ils gagnèrent la capitale du Chiapas dans la jeep des missionnaires.

Ignorant ses blessures, Jason insista pour aller faire son rapport aux autorités de Tuxtla Gutiérrez. Il les avait prévenues avant de quitter l'Oklahoma, et d'autres agents gouvernementaux se préparaient à partir dans la jungle appréhender Varajas dès que les captifs seraient libres.

— Si nous partons ce soir, je peux les conduire directement à l'homme à la marque, proposa Ben.

— La marque ? répéta un policier mexicain.

— Un effet secondaire d'une drogue que je lui ai administrée, expliqua Jason.

Le voyant réprimer une grimace de douleur, Ruth lui apporta une nouvelle compresse de glace pour ses mains.

— Il vous faut un médecin, Jason.

— J’ai juste besoin de Kendal, murmura-t-il en levant ses mains brisées pour étreindre la femme qu’il aimait. Et de ce petit garçon… C’est seulement d’eux que j’ai réellement besoin pour le restant de ma vie.

Épilogue

Mme Jason Bridges, *très* enceinte, se sentait d'humeur maussade. Peut-être était-elle seulement jalouse de son mari parce que sa grossesse était trop avancée pour qu'elle puisse se rendre au Mexique cette année.

Jason avait pourtant proposé d'annuler la mission humanitaire, pour une fois, sa famille étant désormais sa principale priorité, mais Kendal n'avait pas voulu en entendre parler. Ces expéditions au Mexique étaient une excellente thérapie, pour son mari comme pour ses patients. Du reste, Jason serait de retour avant l'arrivée du bébé.

— C'est important pour papa d'aller au Mexique, dit-elle, plus pour elle-même que pour le petit garçon attaché sur le siège arrière de sa voiture.

— Me-si-que, répéta l'enfant.

Kendal sourit. Miguel avait vraiment un don pour imiter tous les sons qu'il entendait, et il adorait chanter en écoutant ses CD qu'elle glissait dans l'autoradio. L'orthophoniste leur avait assuré que l'enfant était si intelligent qu'il parlerait normalement avant un an, peut-être moins.

— Oui, le Mexique, mon trésor. Où papa et moi sommes allés te chercher.

Elle gara sa voiture puis, prenant le petit garçon dans ses bras, elle se dirigea vers l'entrée de la clinique. Elle était épuisée car Miguel avait eu une nuit agitée. Les dernières étapes de son opération des yeux s'étaient remarquablement passées, mais il souffrait encore de certaines gênes.

Et puis, elle devait accoucher dans huit semaines. Elle se trouvait affreuse avec sa grande marinière, son visage sans maquillage et ses cheveux dans tous les sens. Mais Jason s'en moquerait. Il n'arrêtait pas de lui dire qu'il l'aimait, quelle que soit sa tenue ou sa coiffure.

Aujourd'hui, elle venait juste chercher les papiers dont Jason aurait besoin pour les vaccins et les faire expédier à son ancien employeur avant le départ de l'équipe au Mexique. Après quoi, elle s'empresserait de s'esquiver avant de se faire remarquer.

Appuyant sur le bouton d'appel de l'ascenseur, elle se rappela le jour où elle avait refusé d'ouvrir les portes de la cabine à Jason. Lui refusant l'accès à sa vie. A son cœur. Elle sourit en se remémorant son expression abattue quand les portes s'étaient fermées.

Comme elle s'était trompée sur lui ! Il n'y avait pas mari plus dévoué sur toute la terre.

Elle vit Miguel faire la moue comme quelqu'un s'immobilisait derrière elle. Du coin de l'œil, elle reconnut une silhouette vaguement familière et se retourna.

— Phillip…, dit-elle avec un sourire machinal, se

retenant d'arranger ses cheveux en bataille. Comment vas-tu ?

Il sourit, mal à l'aise.

— Bonjour, Kendal ! Il me semblait bien que c'était toi.

Elle en doutait... Comment aurait-il pu la reconnaître avec son gros ventre et un bébé dans les bras ? Elle pesait une bonne quinzaine de kilos de plus que la dernière fois qu'il l'avait vue, à la soirée de gala.

Lui, en revanche, était impeccable dans son costume Armani. Comme toujours.

Il jeta un regard confus à son ventre proéminent.

— J'ai appris que tu étais mariée, mais j'ignorais que tu attendais un bébé. Félicitations...

— Merci, répondit-elle en calant sur sa hanche Miguel qui commençait à s'impatienter. C'est notre fils, Miguel.

— Ah, oui. J'ai entendu dire que tu avais adopté un enfant du Guatemala...

— Du Mexique.

— C'est ça. Du Mexique.

— Me-si-que ! répéta Miguel qui regardait Phillip d'un air désapprobateur.

— Il est vraiment tout petit, commenta Phillip en effleurant le bras menu de l'enfant.

— Il n'a pas encore un poids normal, mais il pousse bien.

Miguel pointa son petit doigt vers Phillip.

— Va-t'en, dit-il.

— Miguel, sois gentil, voyons, intervint Kendal avec un sourire d'excuse à Phillip. En général, il est adorable. Mais il a subi une lourde opération il y a quelques jours. Alors, il faut l'excuser s'il est un peu grincheux.

— Les enfants ont leurs mauvais jours. Ma fille aussi.

— Ah, oui, c'est vrai ! Tu as une fille…, dit-elle, incapable de croire qu'un an plus tôt, elle avait été désespérée par la nouvelle.

— C'est un amour, dit-il avec fierté. Mais les enfants donnent beaucoup de travail, n'est-ce pas ? Tu l'emmènes chez le médecin ?

— Non. Nous allons au bureau de son papa.

— Dessiner chez papa, intervint Miguel avec conviction.

— Oui, tu pourras faire du coloriage, confirma Kendal. Il a un vrai talent artistique…

— Et à quel étage est papa ? s'enquit Phillip, les yeux dirigés sur la plaque de cuivre fixée au mur du hall.

Toujours le même, ce Phillip. Incapable de poser une question directe. Pourquoi ne pas simplement demander : « Qui as-tu épousé ? »

— Dixième étage. Dr Jason Bridges, répondit-elle en montrant le nom de Jason en haut de la plaque. J'ai épousé Jason Bridges.

Parce qu'elle avait vécu des mois avec un homme droit et direct comme Jason, elle avait maintenant peu de patience quand elle rencontrait des mauviettes sournoises dans le genre de Phillip.

— Ah oui ? N'est-ce pas ce chirurgien plasticien qui part régulièrement dans la jungle ? Je ne vois vraiment pas ce que vous avez en commun, tous les deux.

Pour conclure, Phillip renifla d'un air vaguement dédaigneux. Puis il osa froncer les sourcils comme Miguel commençait à s'agiter en geignant.

Kendal dut se mordre la lèvre pour ne pas lui jeter au visage : « Le sexe, Phillip… Voilà ce que nous avons en commun. L'union merveilleuse de deux corps qui savent tout autant donner que recevoir. Et nous avons aussi en commun une chose que tu ne comprendrais pas : l'amour véritable. Pas une relation basée sur une de tes précieuses listes… »

Mais, bien sûr, elle se contenta de sourire.

— Jason est quelqu'un de formidable. Nous nous entendons merveilleusement bien.

Soudain, elle sentit qu'on lui prenait l'enfant des bras.

— Viens ici, mon grand, dit la voix de Jason.

Elle se retourna et vit son mari qui lui souriait.

— Jason ! D'où sors-tu ?

— D'une réunion, répondit-il en l'embrassant.

Miguel adressa un sourire fier à Phillip.

— C'est mon *papa*.

— Docteur Jason Bridges, dit Jason, tendant sa main libre à Phillip.

— Je sais, répliqua Phillip, soudain maussade. Phillip Dudley.

Quand il serra la main de Jason, celui-ci ne put retenir une grimace.

— Oh, pardon… j'ai appris pour vos blessures.

Ainsi, cet idiot savait tout d'eux, et du Mexique, et de Miguel…, songea Kendal.

— Une histoire stupéfiante, cet atterrissage d'un avion sur une rivière, ajouta Phillip d'un ton qui trahissait son scepticisme.

— Elle me semble bien loin, répondit calmement Jason. Sauf les jours où je pratique beaucoup d'opérations et que mes mains me font mal.

Il ajusta Miguel sur sa hanche et reporta son attention sur Kendal.

— Chérie, tu es plus belle que jamais, mais tu sembles fatiguée, dit-il en posant une main douce sur son ventre. Comment va notre petit bébé ?

— Petit bébé, répéta consciencieusement Miguel en se penchant pour tapoter l'abdomen de sa mère.

Kendal sourit. A Jason. A Miguel. Et même à Phillip. Soudain, elle se moquait d'être mal coiffée et d'être grosse. Et encore plus de ce que pouvait penser son ex-petit ami.

Elle avait trouvé le bonheur. Complet. Total. L'homme qu'elle aimait tenait dans ses bras leur enfant chéri et lui demandait comment se portait leur futur bébé.

— Le bébé ? répéta-t-elle en pressant la grande main chaude de Jason. Notre petite Lucia va très bien, mon amour.

NOUVEAU CE MOIS-CI

Après La saga des Donovan,
Découvrez la nouvelle série de

NORA ROBERTS

L'éveil d'une passion

Le 1er roman d'une série de 2 titres inédits

4,90 € Sfr. 8.60

Un conseil, une commande : 01 45 82 47 47 www.harlequin.fr

BEST SELLERS

Les Best-Sellers Harlequin, c'est la promesse d'une lecture intense : romans policiers, thrillers médicaux, drames psychologiques, sagas, ce programme est riche d'émotions.

Ne manquez pas, dès ce mois-ci :

L'ennemi de l'ombre, de Karen Harper • N° 254
Lorsqu'elle arrive à Maplecreek, dans l'Ohio, Kat Lindley espère oublier le drame terrible qui l'a contrainte un an plus tôt à quitter la police. Mais elle est loin de trouver sur place le calme et la sérénité auxquelles elle aspirait… Depuis peu en effet, les Amish de la région – et leurs enfants en particulier – sont victimes d'agressions répétées. Qui peut nourrir une telle haine à leur encontre ? Et surtout, où s'arrêtera cette violence aveugle ?
C'est alors que Kat se voit proposer une mission inattendue : vivre incognito parmi les Amish afin de démasquer leur ennemi…

Un parfait coupable, de Maggie Shayne • N° 255
Diriger la police de Blackberry, dans le Vermont ? Pour Cassandra Jackson, c'est une chance à ne pas laisser passer. Mais à peine est-elle arrivée que, une nuit, elle découvre un inconnu réfugié chez elle. Mal en point, amaigri, l'homme est en fait Michael Corbett, un fugitif échappé de l'hôpital où il a été interné après le meurtre de sa femme. Corbett n'a aucun souvenir du drame, mais il sait qu'on a tenté deux fois de le supprimer depuis, et il veut savoir s'il est réellement l'assassin que prétend la police. Et son désespoir est tel que, malgré les risques pour sa carrière – et sa propre vie –, Cassandra décide de l'aider à lever les zones d'ombre qui planent sur cette affaire…

L'œil du témoin, de Sharon Sala • N° 256
Pour China Brown, la vie bascule un soir d'hiver, à Dallas, lorsqu'elle voit une inconnue tuer froidement un célèbre paparazzi dans la rue. Repérée par la meurtrière, elle est à son tour abattue de deux balles…

Par miracle pourtant, China survit à ses blessures. Désormais seul témoin dans une affaire qui menace d'ébranler la haute société de Dallas, elle reçoit la protection d'un inspecteur, Ben English. Commence alors une course contre la montre pour identifier l'assassin avant qu'il ne retrouve la jeune femme…

Mortel enjeu, de Tara Taylor Quinn • N° 257

Kate Whitehead avait tout pour elle. La richesse. La renommée. Un mari très en vue. Jusqu'au jour où, enceinte de six mois, elle a fui l'enfer qu'elle vivait au quotidien auprès de cet homme aussi influent que violent.

Deux ans plus tard, Kate est devenue Tricia Campbell. Elle a donné naissance à un petit garçon et refait sa vie à San Diego. Mais elle qui vit dans la hantise d'être retrouvée découvre soudain avec stupeur que son mari est accusé de l'avoir tuée. Pour Tricia, il faut désormais choisir : laisser un innocent risquer la peine capitale pour un crime qu'il n'a pas commis, ou le sauver au risque de le voir ensuite se retourner contre elle… et son enfant.

Les serments du cœur, de Susan Wiggs • N° 258

A Winslow, petite station balnéaire du Rhode Island, Rosa Capoletti savoure pleinement le succès de son restaurant. Quelle belle ascension pour elle qui est partie de rien… Mais sa vie est bouleversée le jour où elle voit resurgir Alex Montgomery, un riche héritier avec qui elle a connu autrefois une folle passion jusqu'à ce qu'il la quitte sans un mot au moment où elle faisait face à une douloureuse tragédie familiale. Le temps a passé depuis, mais l'un et l'autre constatent vite que, entre eux, l'amour est toujours là, intact. Seulement, peuvent-ils se donner une nouvelle chance, quand tant de non dits et de malentendus les séparent ?

Dangereuse alliance, de R. J. Kaiser • N° 111 (Réédition)

Une femme traquée. Voilà ce qu'est devenue Stephanie Reymond à la mort de son mari. Parce que celui-ci s'est compromis avec des truands, elle se retrouve soudain poursuivie par des hommes bien décidés à récupérer les millions de dollars qu'ils avaient confiés au défunt. Et ils sont prêts à tout pour ça. Y compris à tuer… Seule face à eux, Stephanie ne peut que fuir. Fuir… et espérer ne pas commettre une grave erreur en décidant de s'en remettre à un marin au passé trouble, Jack Kidwell, pour l'aider à s'en sortir vivante…

La collection BEST-SELLERS est en vente au rayon poche Harlequin.

ABONNEMENT...ABONNEMENT...ABONNEMENT...

ABONNEZ-VOUS!

2 livres gratuits*
+ 1 bijou
+ 1 cadeau surprise

Choisissez parmi les collections suivantes

AZUR : La force d'une rencontre, l'intensité de la passion.
6 romans de 160 pages par mois. 21,78 € le colis, frais de port inclus.

EMOTIONS : L'émotion au cœur de la vie. 3 romans de 288 pages par mois.
16,38 € le colis, frais de port inclus.

BLANCHE : Passions et ambitions dans l'univers médical.
3 volumes doubles de 320 pages par mois. 18,36 € le colis, frais de port inclus.

LES HISTORIQUES : Le tourbillon de l'Histoire, le souffle de la passion.
3 romans de 352 pages par mois. 18,51 € le colis, frais de port inclus.

PASSION : Rencontres audacieuses et jeux de séduction.
6 romans de 192 pages par mois. 22,38 € le colis, frais de port inclus.

DÉSIRS : Sensualité et passions extrêmes.
2 romans de 192 pages par mois. 9,06 € le colis, frais de port inclus.

DÉSIRS/AUDACE : Sexy, impertinent, osé.
2 romans Désirs de 192 pages et 2 romans Audace de 224 pages par mois.
17,62 € le colis, frais de port inclus.

HORIZON : La magie du rêve et de l'amour.
4 romans en gros caractères de 224 pages par mois. 15,72 € le colis, frais de port inclus.

AMBRE : Romantique, intense, passionnée. 2 volumes doubles de 480 pages par mois. 14,76 € le colis, frais de port inclus.

BEST-SELLERS : Des grands succès de la fiction féminine.
3 romans de plus de 350 pages par mois. 20,94 € le colis, frais de port inclus.

BEST-SELLERS/INTRIGUE : Des romans à grands succès, riches en action, émotion et suspense. 2 romans Best-Sellers de plus de 350 pages et 2 romans Intrigue de 256 pages par mois. 23,70 € le colis, frais de port inclus.

MIRA : La passion de lire. 2 romans grand format de plus de 400 pages par mois. 23,20 € le colis, frais de port inclus.

JADE : Laissez-vous emporter. 2 romans grand format de plus de 400 pages par mois. 23,20 € le colis, frais de port inclus.

Attention: certains titres Mira et Jade sont déjà parus dans la collection Best-Sellers.

VOS AVANTAGES EXCLUSIFS

1.Une totale liberté
Vous n'avez aucune obligation d'achat. Vous avez 10 jours pour consulter les livres et décider ensuite de les garder ou de nous les retourner.

2.Une économie de 5%
Vous bénéficiez d'une remise de 5% sur le prix de vente public.

3.Les livres en avant-première
Les romans que nous vous envoyons, dès le premier colis, sont des inédits de la collection choisie. Nous vous les expédions avant même leur sortie dans le commerce.

ABONNEMENT...ABONNEMENT...ABONNEMENT...

Oui, je désire profiter de votre offre exceptionnelle. J'ai bien noté que je recevrai d'abord gratuitement un colis de 2 livres* ainsi que 2 cadeaux. Ensuite, je recevrai un colis payant de romans inédits régulièrement.

Je choisis la collection que je souhaite recevoir :

(☑ cochez la case de votre choix)

- ❑ **AZUR** : Z6ZF56
- ❑ **EMOTIONS** A6ZF53
- ❑ **BLANCHE** : B6ZF53
- ❑ **LES HISTORIQUES** : H6ZF53
- ❑ **PASSION** : R6ZF56
- ❑ **DÉSIRS** : D6ZF52
- ❑ **DÉSIRS/AUDACE** : D6ZF54
- ❑ **HORIZON** : O6ZF54
- ❑ **AMBRE** : P6ZF52
- ❑ **BEST-SELLERS** : E6ZF53
- ❑ **BEST-SELLERS/INTRIGUE** : E6ZF54
- ❑ **MIRA** : M6ZF52
- ❑ **JADE** : J6ZF52

*sauf pour les collections Désirs, Jade et Mira = 1 livre gratuit.

Renvoyez ce bon à : Service Lectrices HARLEQUIN
BP 20008 - 59718 LILLE CEDEX 9.

N° d'abonnée Harlequin (si vous en avez un) ___________

Mme ❑ Mlle ❑ NOM ____________________

Prénom ____________________

Adresse ____________________

Code Postal _______ Ville ____________________

Le Service Lectrices est à votre écoute au 01.45.82.44.26
du lundi au jeudi de 9h à 17h et le vendredi de 9h à 15h.

Conformément à la loi Informatique et Libertés du 6 janvier 1978, vous disposez d'un droit d'accès et de rectification aux données personnelles vous concernant. Vos réponses sont indispensables pour mieux vous servir. Par notre intermédiaire, vous pouvez être amené à recevoir des propositions d'autres entreprises. Si vous ne le souhaitez pas, il vous suffit de nous écrire en nous indiquant vos nom, prénom, adresse et si possible votre référence client. Vous recevrez votre commande environ 20 jours après réception de ce bon. Date limite : 31 décembre 2006.

Offre réservée à la France métropolitaine, soumise à acceptation et limitée à 2 collections par foyer.

L'ASTROLOGIE EN DIRECT
TOUT AU LONG
DE L'ANNÉE.

(France métropolitaine uniquement)

Par téléphone 08.92.68.41.01

0,34 € la minute (Serveur JET MULTIMÉDIA).

Composé et édité par les

éditions Harlequin

Achevé d'imprimer en avril 2006

par

LIBERDÚPLEX

Dépôt légal : mai 2006

N° d'éditeur : 12084

Imprimé en Espagne